W9-AWU-577

标准教程
STANDARD COURSE

HSK

主编： 姜丽萍
LEAD AUTHOR: Jiang Liping

编者： 王枫、刘丽萍、王芳
AUTHORS: Wang Feng, Liu Liping, Wang Fang

2

练习册 **Workbook**

Printed in China

北京语言大学出版社
BEIJING LANGUAGE AND CULTURE
UNIVERSITY PRESS

使用说明

　　《HSK 标准教程 2（练习册）》是与《HSK 标准教程 2》配套使用的，目的是与 HSK 考试接轨，主要训练学习者的听力和阅读能力，兼顾语音和汉字的练习。

　　1. 听力、阅读。这两个部分题型与 HSK（二级）考试完全一致。这样既保证了学习者练习的数量和质量，又可以让学习者在平日学习中接触到真题，参加考试时不需要再花额外的时间熟悉真题题型。每课听力和阅读部分的考查内容包括当课和前几课的主要语言点和生词，教师根据总课时数，既可以带领学习者在课上完成，也可以以作业的形式布置给学习者。完成练习后学习者可通过答案自己检测学习效果。

　　2. 语音。这部分多以听辨的形式出现，以发音练习为主，练习重点是正确发音的听辨、跟读和模仿。这部分的练习时间教师可灵活掌握，安排在课下或者课堂上完成都可以，时间也可长可短。

　　3. 汉字。这部分主要展示了汉字独体字的书写方式，学习者可以进行模仿和跟写练习。除此之外，还介绍了部分汉字常用偏旁以及这些偏旁代表的意义，例字中有个别超纲字，可以不做重点讲解，只要求学习者辨认出所学偏旁在汉字中的位置，并能够将相同偏旁的汉字归类即可。教师在教学中可以把第一册学过的独体字和偏旁与本册所学的一起进行对比和辨析。

　　以上是对本教材练习册使用方法的一些说明和建议。在教学过程中您可以根据实际情况灵活使用本练习册。对于学习时间只有 30 多小时的初级汉语学习者来说，这本教材与第一册相比在形式和难度上都有提升，话题也更加丰富，即使是学过的话题，再次涉及时已经可以用更复杂的句型和更丰富的词汇输出，学习者可以尽快获得成就感，这也是编写者的初衷。学完本书，学习者应该可以顺利通过 HSK（二级）考试，继续稳步地提高汉语水平。

A Guide to the Use of This Book

HSK Standard Course 2 (Workbook) is used to support *HSK Standard Course 2*. It aims to be in accordance with the HSK, and to provide students with training in listening and reading skills without neglecting practice in pronunciation and characters.

1. **Listening and Reading**. In these two parts, the types of questions are in complete accordance with those in the HSK Level 2 test, which not only ensures the quantity and quality of the exercises students have, but also allows them to be exposed to the past New HSK tests in their daily study, so they don't have to spend extra time in trying to get familiar with the question types of the New HSK before taking it. In each lesson, the listening and reading exercises examine how well students have learned the major language points and new words of the current lesson and the previous lessons. Depending on the total class hours, the teacher can either ask the students to do the exercises in class or assign these exercises to students as homework. After doing them, students can check their work with the answers to make a self-evaluation of their learning.

2. **Pronunciation**. Exercises in this part are mostly listening to and differentiating pronunciations. Priority is given to pronunciation drills, focusing on differentiating, reading aloud (after the teacher or the recording) and imitating the pronunciation. Time devoted to this part of exercises in class can be decided by the teacher flexibly; students can either do them in class or after class, and the duration of doing them may also vary.

3. **Characters**. This part mainly demonstrates the way of writing single-component characters, so that students can imitate and practice writing them. Besides, it introduces some common Chinese radicals and their meanings. A few example characters not listed in the Syllabus may not be the focus of explanation. Students just need to identify the positions of the radicals they've learned in these characters and to group the characters with the same radicals. The teacher can compare and differentiate the newly-learned single-component characters and radicals from those learned in Book 1.

The above are some directions and suggestions about the use of this workbook. You may use this workbook flexibly according to the actual teaching situations. For beginners who have had only 30 class hours of Chinese learning, both the diversity of form and difficulty of content in this book have been increased, and the topics are more abundant, compared with Book 1. When talking about a topic that has been learned before, more complex sentence patterns and richer vocabulary can be used in language output. In this way, students will have a sense of achievement as soon as possible. This is also the original intention of the authors. Upon finishing this book, students should be able to pass the HSK Level 2 test successfully and make steady progress in their Chinese learning.

目 录 Contents

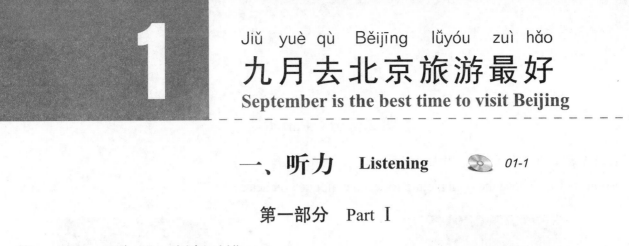

一、听力 Listening 　💿 *01-1*

第一部分　Part I

第 1–5 题：听句子，判断对错

Questions 1-5: Decide whether the pictures are right or wrong based on the sentences you hear.

例如： Example:		Wǒmen jiā yǒu sān ge rén. 我们　家　有　三　个　人。 There are three people in my family.	✓
		Wǒ měi tiān zuò gōnggòngqìchē 我　每　天　坐　公共汽车 qù shàng bān. 去　上　班。 I go to work by bus every day.	✗
1.			
2.			
3.			
4.			
5.			

第二部分　Part Ⅱ

第 6–10 题：听对话，选择与对话内容一致的图片

Questions 6-10: Choose the right picture for each dialogue you hear.

A

B

C

D

E

F

例如：　男：
Nǐ xǐhuan shénme yùndòng?
你 喜欢 什么　运动?

Example:　　What sport do you like?

Wǒ zuì xǐhuan tī zúqiú.
女：我 最 喜欢 踢 足球。

My favorite sport is playing football.　　　　　D

6.

7.

8.

9.

10.

第三部分　Part Ⅲ

第 11-15 题：听对话，选择正确答案

Questions 11-15: Listen to the dialogues and answer the questions.

Xiǎo Wáng，zhèli yǒu jǐ ge bēizi，nǎge shì nǐ de?

例如：　男：小　王，这里 有 几 个 杯子，哪个 是 你 的?

Example:　　Xiao Wang, here are some cups, which of these cups is yours?

Zuǒbian nàge hóngsè de shì wǒ de.

　　　　女：左边　那个 红色 的 是 我 的。

　　　　The red one on the left is mine.

Xiǎo Wáng de bēizi shì shénme yánsè de?

问：小　王 的 杯子 是 什么 颜色 的?

Question: What color is Xiao Wang's cup?

	hóngsè		hēisè		báisè
A	红色 red	√	B 黑色 black	C	白色 white

	bā yuè		jǐ ge yuè		jiǔ yuè
11.	A 八月		B 几 个 月	C	九月

	tài yuǎn le		tài lěng le		tài rè le
12.	A 太 远 了		B 太 冷 了	C	太 热 了

	zhuōzi		yǐzi		bēizi
13.	A 桌子		B 椅子	C	杯子

	bú dào shí suì		sìshí suì		shí duō suì
14.	A 不 到 十 岁		B 四十 岁	C	十 多 岁

	bēizi		Běijīng		chábēi
15.	A 杯子		B 北京	C	茶杯

二、阅读 Reading

第一部分 Part Ⅰ

第 16-20 题：看图片，选择与句子内容一致的图片
Questions 16-20: Choose the right picture for each sentence.

A

B

C

D

E

F

Měi ge xīngqīliù, wǒ dōu qù dǎ lánqiú.
例如：每 个 星期六，我 都 去 打 篮球。
Example: I go to play basketball every Saturday.   D

Yī yuè de Běijīng tiānqì zuì lěng.
16. 一月 的 北京 天气 最 冷。

Bàba xiànzài bù néng huílai, tā zài gōngzuò ne.
17. 爸爸 现在 不 能 回来，他 在 工作 呢。

Xīngqīliù wǒmen yìqǐ qù tī zúqiú ba.
18. 星期六 我们 一起 去 踢 足球 吧。

Nǐ de xiǎo māo zuì piàoliang.
19. 你 的 小 猫 最 漂亮。

Wǒ zuì xǐhuan lǚyóu.
20. 我 最 喜欢 旅游。

第二部分　Part Ⅱ

第 21-25 题：选择合适的词语填空

Questions 21-25: Choose the proper words to fill in the brackets.

	wèi shénme	yào	zuì	juéde	guì	yě
	A 为 什么	B 要	C 最	D 觉得	E 贵	F 也

Zhèr　de yángròu hěn hǎochī，dànshì yě hěn

例如：这儿 的 羊肉 很 好吃，但是 也 很 （ E ）。

Example: The mutton here is delicious, but it is also expensive.

Wáng Fāng　　　　　mǎi yí ge xīn bēizi

21. 王　方 （　　）买 一 个 新 杯子。

Zuótiān nǐ　　　　méi lái wǒ jiā chī fàn?

22. 昨天 你 （　　）没 来 我 家 吃饭？

Wǒ　　zhège yīfu tài dà le，nǐ kànkan nàge ba.

23. 我 （　　）这个 衣服 太 大 了，你 看看 那个 吧。

Wǒ de xiǎo māo liǎng suì duō le，Dàwèi de xiǎo māo　　liǎng suì duō le.

24. 我 的 小 猫 两 岁 多 了，大卫 的 小 猫 （　　）两 岁 多 了。

Wáng lǎoshī　　xǐhuan chī píngguǒ.

25. 王 老师 （　　）喜欢 吃 苹果。

第三部分　Part Ⅲ

第 26–30 题：判断下列句子的意思是否正确

Questions 26-30: Decide whether the inferences are true or false.

Xiànzài shì　diǎn　fēn, tāmen yǐjīng yóule　　fēnzhōng le.

例如：现在　是 11 点 30 分，他们　已经　游了 20　分钟　了。

Example: It's 11:30 now. They have been swimming for 20 minutes.

Tāmen　　diǎn　　fēn kāishǐ yóuyǒng.

★ 他们　11　点 10　分 开始　游泳。　　　　　（ ✓ ）

They started swimming at 11:10.

Wǒ huì tiàowǔ, dàn tiào de bù zěnmeyàng.

我 会 跳舞，但 跳 得 不 怎么样。

I can dance, but not well.

Wǒ tiào de fēicháng hǎo.

★ 我 跳 得 非常　好。　　　　　　　　　　（ × ）

I dance pretty well.

Tā xǐhuan zài jiā kàn diànyǐng, yě　xǐhuan shuì jiào, bù xǐhuan chūqu.

26. 她 喜欢 在家看　电影，也 喜欢　睡　觉，不 喜欢　出去。

Tā zuì xǐhuan yùndòng.

★ 她 最 喜欢　运动。　　　　　　　　　　（ ✗ ）

Wáng xiǎojiě de xiǎo māo zài wǒ jiā, wǒ de xiǎo māo zài wǒ māma jiā.

27. 王　小姐 的 小　猫 在 我家，我 的 小　猫 在 我 妈妈家。

Wǒ yǒu yí ge xiǎo māo.

★ 我 有 一个 小　猫。　　　　　　　　　　（ ✓ ）

Wǒ bù xiǎng mǎi zhuōzi, wǒ yào mǎi jǐ ge xīn yǐzi.

28. 我 不 想　买　桌子，我 要 买 几个 新椅子。

Wǒ yào qù shāngdiàn mǎi zhuōzi.

★ 我 要 去　商店　买　桌子。　　　　　　（ ✗ ）

Tīngshuō nǐ　zài xué zuò Zhōngguó cài ne, wǒmen　yìqǐ　zuò ba.

29. 听说　你 在 学 做 中国　菜 呢，我们　一起　做 吧。

Tāmen yào yìqǐ　zuò Zhōngguó cài.

★ 他们　要 一起 做　中国　菜。　　　　　（ ✓ ）

Bā yuè Běijīng hěn rè,　jiǔ yuè tiānqì hǎo, nǐ　lái ba.

30. 八月 北京　很 热，九月 天气　好，你 来 吧。

Bā yuè qù　Běijīng lǚyóu zuì hǎo.

★ 八月 去　北京　旅游　最　好。　　　　　（ ✗ ）

第四部分　Part Ⅳ

第 31-35 题：选择合适的问答

Questions 31-35: Match the sentences to make dialogues.

Zhuōzi shang yǒu yì běn xīn shū. Nà shì nǐ de shū ma?
A　桌子　上　有一本　新书。那是你的书吗？

Wáng lǎoshī shénme shíhou néng dào?
B　王　老师　什么　时候　能　到？

Tāmen dōu qù tī zúqiú le,　nǐ qù bu qù?
C　他们　都去踢足球了，你去不去？

Zhège xiǎo māo hěn piàoliang. Tā duō dà le?
D　这个　小猫　很　漂亮。它多大了？

Tā zài nǎr　ne? Nǐ kànjiàn tā le ma?
E　他在哪儿呢？你看见他了吗？

Nǐ wèi shénme bù kāi chē qù xuéxiào?
F　你为　什么　不开车去学校？

　　　Tā hái zài jiàoshì li xuéxí.
例如：他还在教室里学习。　　　　　　　　　　　　　　E

Example: He is still studying in the classroom.

Bú shì wǒ de, wǒ méi mǎi shū.
31. 不是我的，我没买书。　　　　　　　　　　　　　A

Sān suì duō.
32. 三岁多。　　　　　　　　　　　　　　　　　　□

Tā yǐjīng zǒu le,　shí fēnzhōng hòu néng dào.
33. 他已经走了，十分钟　后　能　到。　　　　　　B

Wǒ méi shíjiān, míngtiān ba.
34. 我没时间，明天吧。　　　　　　　　　　　　C

Wǒ bù xiǎng kāi, wǒ juéde zuò chūzūchē hěn hǎo.
35. 我不想开，我觉得坐出租车很好。　　　　　　F

三、语音 Pronunciation *01-2*

第一部分 Part I

第1题：听录音，选择听到的词语
Question 1: Listen to the recording and choose the words you hear.

（1）shíjiān —— shíhou　　　　　（2）Běijīng —— dòngjing

（3）luòpò —— luóbo　　　　　（4）lìshǐ —— gùshi

（5）lǎohǔ —— mǎhu　　　　　（6）rénshēng —— xuésheng

（7）shìtóu —— shítou　　　　　（8）chǎndì —— chǎnzi

第二部分 Part II

第2题：听录音，注意每个词中重音的位置并跟读
Question 2: Listen to the recording and pay attention to the stress in each word. Then read after the recording.

（1）好吃 hǎochī　　　（2）老实 lǎoshi　　　（3）小姐 xiǎojiě　　　（4）先生 xiānsheng

（5）每天 měi tiān　　　（6）前边 qiánbian　　　（7）可能 kěnéng　　　（8）有用 yǒuyòng

（9）金鱼 jīnyú　　　（10）境遇 jìngyù　　　（11）利索 lìsuo　　　（12）思索 sīsuǒ

（13）大门 dàmén　　　（14）打扮 dǎban　　　（15）一般 yìbān　　　（16）麻烦 máfan

四、汉字　Characters

第一部分　Part I

第 1–2 题：看汉字，按偏旁归类

Questions1-2: Group the characters with the same radical.

A 跑　　　B 跳　　　C 玩　　　D 球

E 路　　　F 现　　　G 趴　　　H 玥

1. 王： C, C, F, H _____

2. 足： A, B, D, G _____

第二部分　Part II

第 3 题：看生词和图片，猜出词义

Question 3: Guess the meaning of each word based on the new words and pictures.

杯子　　盘子　　筷子　　叉子　　勺子　　刀子
A　　C　　E　　F　　D　　E

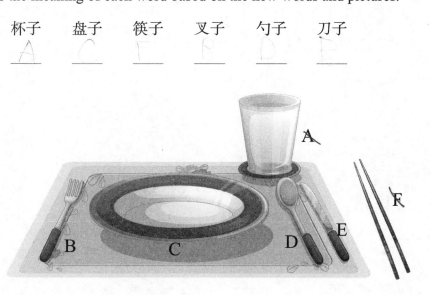

第三部分　Part Ⅲ

第 4 题：看笔顺，写独体字
Question 4: Look at the stroke order and practice writing the single-component characters.

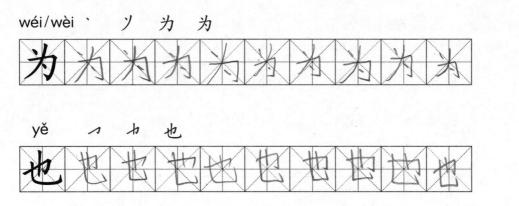

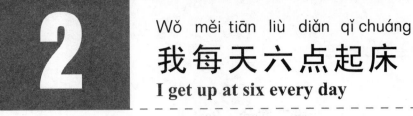

2 我每天六点起床

Wǒ měi tiān liù diǎn qǐ chuáng

I get up at six every day

一、听力 Listening 💿 *02-1*

第一部分 Part I

第 1-5 题：听句子，判断对错

Questions 1-5: Decide whether the pictures are right or wrong based on the sentences you hear.

例如： Example:		Wǒmen jiā yǒu sān ge rén. 我们 家 有 三 个 人。 There are three people in my family. ✓
		Wǒ měi tiān zuò gōnggòngqìchē 我 每 天 坐 公共汽车 qù shàng bān. 去 上 班。 ✗ I go to work by bus every day.
1.		
2.		
3.		
4.		
5.		

第二部分　Part II

第 6-10 题：听对话，选择与对话内容一致的图片

Questions 6-10: Choose the right picture for each dialogue you hear.

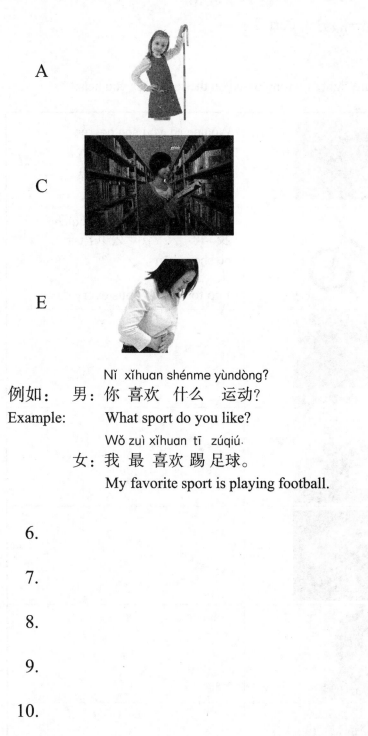

A

B

C

D

E

F

例如：　男：
Nǐ xǐhuan shénme yùndòng?
你 喜欢 什么 运动?

Example:　　What sport do you like?

　　　　女：
Wǒ zuì xǐhuan tī zúqiú.
我 最 喜欢 踢 足球。

My favorite sport is playing football.　　D

6.　　□

7.　　□

8.　　□

9.　　□

10.　　□

第三部分　Part Ⅲ

第 11–15 题：听对话，选择正确答案
Questions 11-15: Listen to the dialogues and answer the questions.

Xiǎo Wáng, zhèli yǒu jǐ ge bēizi, nǎge shì nǐ de?
例如：　男：小　王，这里 有 几 个 杯子，哪个 是 你 的？
Example:　Xiao Wang, here are some cups, which of these cups is yours?

Zuǒbian nàge hóngsè de shì wǒ de.
女：左边　那个 红色 的 是 我 的。
The red one on the left is mine.

Xiǎo Wáng de bēizi shì shénme yánsè de?
问：小　王 的 杯子 是 什么 颜色 的？
Question: What color is Xiao Wang's cup?

	hóngsè		hēisè		báisè
A	红色 red	√	B 黑色 black		C 白色 white

11.
	néng	bù néng	bù zhīdào
A	能	B 不 能	C 不 知道

12.
	liù diǎn duō	qī diǎn duō	shí diǎn duō
A	六 点 多	B 七 点 多	C 十 点 多

13.
	bú lèi	hěn lèi	lèi
A	不 累	B 很 累	C 累

14.
	gōngzuò le	zài xuéxí	zài zhǎo gōngzuò
A	工作 了	B 在 学习	C 在 找 工作

15.
	qù yīyuàn le	bìng le	shēntǐ hǎo duō le
A	去 医院 了	B 病 了	C 身体 好 多 了

二、阅读 Reading

第一部分 Part I

第 16–20 题：看图片，选择与句子内容一致的图片

Questions 16-20: Choose the right picture for each sentence.

A

B

C

D

E

F

Měi ge xīngqīliù, wǒ dōu qù dǎ lánqiú.
例如：每 个 星期六，我 都 去 打 篮球。

Example: I go to play basketball every Saturday.

D

Màikè xiānsheng zuì bù xǐhuan zhù yuàn.
16. 麦克 先生 最 不 喜欢 住 院。

F

Bàba měi tiān gōngzuò hěn máng, xīngqīliù yě bù xiūxi.
17. 爸爸 每 天 工作 很 忙，星期六 也 不 休息。

C

Wǒ měi tiān xiàwǔ hé tóngxué yìqǐ qù pǎo bù.
18. 我 每 天 下午 和 同学 一起 去 跑步。

B

Zhè shì yí ge xīngqī de yào, měi tiān zǎoshang chī.
19. 这 是 一 个 星期 的 药，每 天 早上 吃。

E

Māma měi tiān zǎoshang qī diǎn qián qǐ chuáng.
20. 妈妈 每 天 早上 七 点 前 起 床。

A

第二部分　Part II

第 21-25 题：选择合适的词语填空

Questions 21-25: Choose the proper words to fill in the brackets.

chūqu　　měi　　máng　　zhīdào　　guì　　shēng bìng

A 出去　B 每　C 忙　D 知道　E 贵　F 生　病

Zhèr　de yángròu hěn hǎochī，dànshì yě hěn

例如：这儿的 羊肉 很 好吃，但是 也很 （ E ）。

Example: The mutton here is delicious, but it is also expensive.

Wǒmen　　　　ge xīngqīliù dōu gōngzuò.
21. 我们（　B　）个 星期六 都 工作。

Duìbuqǐ, wǒ hěn　　　　méi shíjiān qù kàn diànyǐng.
22. 对不起，我 很（　C　），没 时间 去 看 电影。

Tā bú zài jiā, xiàwǔ sì diǎn　　　mǎi dōngxi le.
23. 他 不 在家，下午 四点（　A　）买 东西 了。

Wǒ de xiǎo māo bù xiǎng chī dōngxi, wǒ juéde tā　　　le.
24. 我的 小 猫 不想 吃 东西，我 觉得 它（　F　）了。

Wǒ yě bù　　　Běijīng de tiānqì, nǐ wènwen xiǎo Lǐ, tā shì Běijīng rén.
25. 我 也不（　D　）北京 的 天气，你 问问 小 李，他是 北京 人。

第三部分　Part Ⅲ

第 26–30 题：判断下列句子的意思是否正确
Questions 26-30: Decide whether the inferences are true or false.

Xiànzài shì diǎn fēn, tāmen yǐjīng yóule fēnzhōng le.
例如：现在 是 11 点 30 分，他们 已经 游了 20 分钟 了。
Example: It's 11:30 now. They have been swimming for 20 minutes.

Tāmen diǎn fēn kāishǐ yóuyǒng.
★ 他们 11 点 10 分 开始 游泳。 （ √ ）
They started swimming at 11:10.

Wǒ huì tiàowǔ, dàn tiào de bù zěnmeyàng.
我 会 跳舞，但 跳 得 不 怎么样。
I can dance, but not well.

Wǒ tiào de fēicháng hǎo.
★ 我 跳 得 非常 好。 （ × ）
I dance pretty well.

Yīshēng shuō wǒ yào zhù liǎng tiān yuàn, míngtiān néng chū yuàn.
26. 医生 说我要 住 两 天 院， 明天 能 出 院。

Wǒ jīntiān bù néng chū yuàn.
★ 我 今天 不 能 出 院。 （ √ ）

Wǒ de xiǎo māo shēng bìng le, nǐ zhīdào qù nǎge yīyuàn hǎo ma?
27. 我 的 小 猫 生 病 了，你 知道 去 哪个 医院 好 吗?

Wǒ de xiǎo māo xiànzài hǎoduō le.
★ 我 的 小 猫 现在 好多 了。 （ × ）

Nǐ xīngqītiān yě qù xuéxiào ma? Tài máng le!
28. 你 星期天 也去 学校 吗? 太 忙 了!

Tā xīngqītiān bù xiūxi.
★ 他 星期天 不 休息。 （ √ ）

Zhège yào měi tiān zhōngwǔ chī, wǎnfàn hòu búyào chī.
29. 这个 药 每 天 中午 吃，晚饭 后 不要 吃。

Měi tiān wǎnfàn hòu chī yào.
★ 每 天 晚饭 后 吃 药。 （ × ）

Wǒ érzi bú tài gāo, tā jīnnián shísì suì, yì mǐ wǔ jǐ.
30. 我儿子不太高，他今年 十四 岁，一 米 五 几。

Tā érzi jīnnián shí duō suì.
★ 他儿子 今年 十 多 岁。 （ √ ）

第四部分　Part Ⅳ

第 31-35 题：选择合适的问答

Questions 31-35: Match the sentences to make dialogues.

　　　Tā　érzi　jīnnián　bā suì le.
A　他 儿子 今年 八 岁了。

　　　Xīngqīliù yě bù xiūxi,　nǐ gōngzuò lèi bu lèi?
B　星期六 也 不 休息, 你 工作 累 不 累?

　　　Wǒ bù xǐhuan zǎoshang yùndòng, wǒ xǐhuan xiàwǔ hé péngyou yìqǐ　tī zúqiú.
C　我 不喜欢 早上 运动, 我喜欢 下午和 朋友 一起 踢足球。

　　　Yīshēng shuō tā bù néng chū yuàn.
D　医生 说 他 不 能 出 院。

　　　Tā zài nǎr　ne? Nǐ kànjiàn tā le ma?
E　他 在 哪儿 呢? 你 看见 他 了 吗?

　　　Nǐ měi tiān shénme shíhou shuì jiào?
F　你 每 天 什么 时候 睡 觉?

　　　　　Tā hái zài jiàoshì li xuéxí.
例如：他 还 在 教室 里 学习。　　　　　　　　　　E

Example: He is still studying in the classroom.

　　　Shénme? Yǐjīng sān tiān le,　wèi shénme?
31. 什么? 已经 三 天 了, 为 什么?　　　　　　　□

　　　Wǒ yě bù xǐhuan, wǒ zǎoshang méi shíjiān.
32. 我 也不喜欢, 我 早上 没 时间。　　　　　　　□

　　　Shì a,　yǐjīng yì mǐ sì le.
33. 是 啊, 已经 一 米 四 了。　　　　　　　　　　□

　　　Méi guānxi, xīngqītiān wǒ yǒu bù shǎo shíjiān xiūxi.
34. 没 关系, 星期天 我 有 不 少 时间 休息。　　　□

　　　Jiǔ diǎn duō ba, hěn zǎo. Wǒ zǎoshang qǐ chuáng yě hěn zǎo.
35. 九 点 多 吧, 很 早。我 早上 起 床 也 很 早。　　□

三、语音 Pronunciation *02-2*

第一部分　Part Ⅰ

第1题：听录音，选择听到的词语
Question 1: Listen to the recording and choose the words / phrases you hear.

（1）huǒchēzhàn —— fēijīchǎng　　　　（2）wàizǔmǔ —— dàxuéshēng

（3）dàshǐguǎn —— fāngbiànmiàn　　　　（4）diànyǐngyuàn —— Jiǎnpǔzhài

（5）nǚpéngyou —— xiǎo háizi　　　　　（6）yǒu yìsi —— méi yìsi

（7）duō zhe ne —— máng zhe ne　　　　（8）rénjia de —— hútu le

第二部分　Part Ⅱ

第2题：听录音，注意每个词中重音的位置并跟读
Question 2: Listen to the recording and pay attention to the stress in each word / phrase. Then read after the recording.

túshūguǎn （1）图书馆	wàijiāoguān （2）外交官	Shìjièbēi （3）世界杯	tíngchēfèi （4）停车费
wǒ de ne （5）我的呢	fán zhe ne （6）烦着呢	è de huang （7）饿得慌	dǔ de huang （8）堵得慌
fúwùyuán （9）服务员	bàngōngshì （10）办公室	bówùguǎn （11）博物馆	bīngqílín （12）冰淇淋
yǒu dàolǐ （13）有道理	hǎo péngyou （14）好朋友	xiǎo háizi （15）小孩子	hǎo dōngxi （16）好东西

四、汉字 Characters

第一部分 Part I

第 1–2 题：看汉字，按偏旁归类

Questions1-2: Group the characters with the same radical.

A 筷   B 等   C 吹   D 歌

E 笔   F 欢   G 次   H 第

1. ⺮ : _____

2. 欠 : _____

第二部分 Part II

第 3 题：看生词和图片，猜出词义

Question 3: Guess the meaning of each word based on the new words and pictures.

医院   电影院   法院   学院

_____   _____   _____   _____

A

B

C

D

第三部分　Part III

第 4 题：看笔顺，写独体字

Question 4: Look at the stroke order and practice writing the single-component characters.

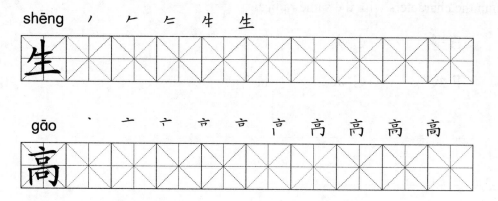

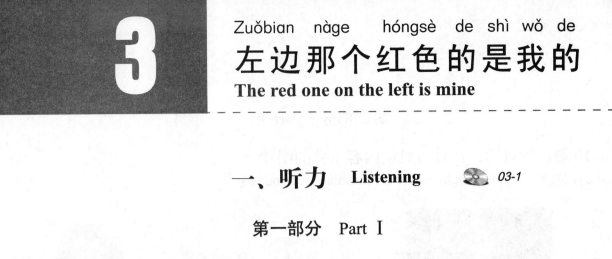

3

Zuǒbian nàge hóngsè de shì wǒ de
左边那个红色的是我的
The red one on the left is mine

一、听力 **Listening** 03-1

第一部分 Part I

第 1–5 题：听句子，判断对错

Questions 1-5: Decide whether the pictures are right or wrong based on the sentences you hear.

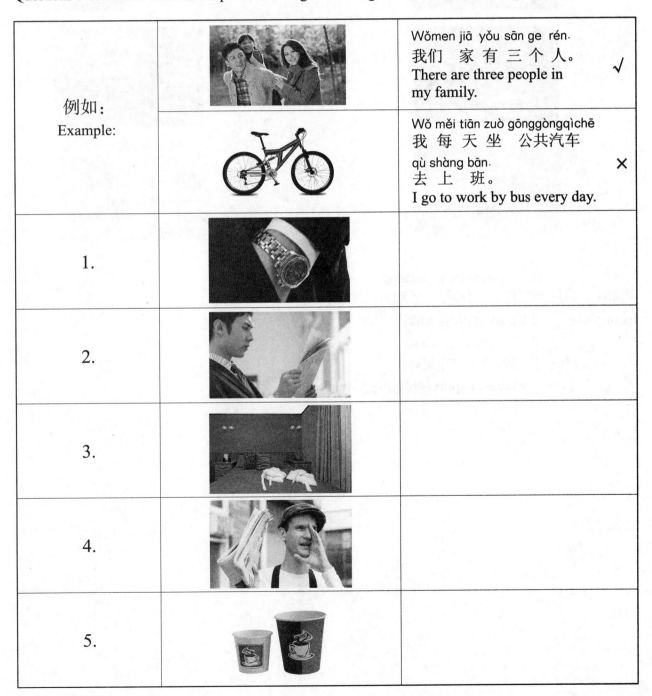

例如： Example:		Wǒmen jiā yǒu sān ge rén. 我们 家 有 三 个 人。 There are three people in my family. ✓
		Wǒ měi tiān zuò gōnggòngqìchē 我 每 天 坐 公共汽车 qù shàng bān. 去 上 班。 I go to work by bus every day. ✗
1.		
2.		
3.		
4.		
5.		

第二部分　Part Ⅱ

第6-10题：听对话，选择与对话内容一致的图片
Questions 6-10: Choose the right picture for each dialogue you hear.

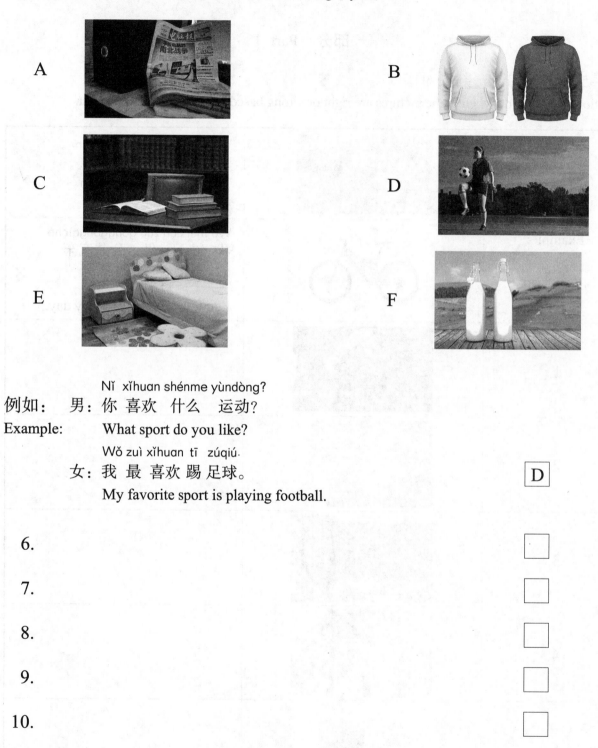

Nǐ xǐhuan shénme yùndòng?
例如：　男：你 喜欢 什么　运动？
Example:　　　What sport do you like?

Wǒ zuì xǐhuan tī zúqiú.
　　　女：我 最 喜欢 踢 足球。　　　　　　　　　D
　　　　　My favorite sport is playing football.

6.

7.

8.

9.

10.

第三部分　Part Ⅲ

第 11–15 题：听对话，选择正确答案

Questions 11-15: Listen to the dialogues and answer the questions.

Xiǎo Wáng，zhèli yǒu jǐ ge bēizi，nǎge shì nǐ de?

例如：　男：小　王，这里 有 几 个 杯子，哪个 是 你 的?

Example:　Xiao Wang, here are some cups, which of these cups is yours?

Zuǒbian nàge hóngsè de shì wǒ de.

女：左边　那个 红色 的 是 我 的。

The red one on the left is mine.

Xiǎo Wáng de bēizi shì shénme yánsè de?

问：小　王 的 杯子 是 什么 颜色 的?

Question: What color is Xiao Wang's cup?

	hóngsè		hēisè		báisè
A	红色 red ✓	B	黑色 black	C	白色 white

		zuǒbian de		pángbiān de		yòubian de
11.	A	左边 的	B	旁边 的	C	右边 的

		zuótiān de		jīntiān de		míngtiān de
12.	A	昨天 的	B	今天 的	C	明天 的

		sòng fàn de		sòng niúnǎi de		sòng bàozhǐ de
13.	A	送 饭 的	B	送 牛奶 的	C	送 报纸 的

		bàba māma de		Lìli de		gēge de
14.	A	爸爸 妈妈 的	B	丽丽 的	C	哥哥 的

		xīn de		dōu bú shì		dōu shì
15.	A	新 的	B	都 不 是	C	都 是

二、阅读 Reading

第一部分 Part I

第 16–20 题：看图片，选择与句子内容一致的图片
Questions 16-20: Choose the right picture for each sentence.

A

B

C

D

E

F

Měi ge xīngqīliù, wǒ dōu qù dǎ lánqiú.
例如： 每 个 星期六，我 都 去 打 篮球。 | D |
Example: I go to play basketball every Saturday.

Zhè jǐ kuài shǒubiǎo dōu bú shì wǒ de.
16. 这 几 块 手表 都 不 是 我 的。

Nǐ shēntǐ bù hǎo, duō hē shuǐ, xiūxi yíxià ba.
17. 你 身体 不 好，多 喝 水，休息 一下 吧。

Zhège fángjiān bú shì wǒ de, shì Lìli hé Wénwen de.
18. 这个 房间 不 是 我 的，是 丽丽 和 文文 的。

Tā qí zhe chē qù sòng bàozhǐ.
19. 他 骑着 车 去 送 报纸。

Qiánbian de zhège chē shì Lǐ lǎoshī de.
20. 前边 的 这个 车 是 李 老师 的。

第二部分　Part Ⅱ

第 21–25 题：选择合适的词语填空

Questions 21-25: Choose the proper words to fill in the brackets.

　　　　　sòng　　　　zhēn　　　　yíxià　　　　　pángbiān　　　guì　　　qiān

　　A 送　　B 真　　C 一下　　D 旁边　　E 贵　　F 千

　　　　Zhèr de yángròu hěn hǎochī, dànshì yě hěn

例如：这儿 的 羊肉 很 好吃, 但是 也 很 （ E ）。

Example: The mutton here is delicious, but it is also expensive.

　　　Jīntiān de tiānqì　　　　　hǎo, wǒmen chūqu wánr wánr ba.

21. 今天 的 天气 （　　　）好, 我们 出去 玩儿 玩儿 吧。

　　　Wǒ yě bù zhīdào chī shénme, wǒ xiǎng

22. 我 也 不 知道 吃 什么, 我 想 （　　　）。

　　　Wǒ zhàngfu zài yīyuàn ne, wǒ yào qù gěi tā　　　　fàn.

23. 我 丈夫 在 医院 呢, 我 要 去 给 他 （　　　）饭。

　　　Zhè kuài shǒubiǎo yì　　　　duō kuài qián, wǒ yǒu bā bǎi kuài, nǐ yǒu duōshao qián?

24. 这 块 手表 一（　　　）多 块 钱, 我 有 八百 块, 你 有 多少 钱?

　　　Māma zài zuò fàn ne, bàba zài zhuōzi　　　　kàn bàozhǐ ne.

25. 妈妈 在 做 饭 呢, 爸爸 在 桌子 （　　　）看 报纸 呢。

第三部分　Part Ⅲ

第 26–30 题：判断下列句子的意思是否正确
Questions 26-30: Decide whether the inferences are true or false.

Xiànzài shì　diǎn　fēn, tāmen yǐjīng yóule　fēnzhōng le.
例如：现在　是 11 点 30 分，他们　已经　游了 20　分钟　了。
Example: It's 11:30 now. They have been swimming for 20 minutes.

Tāmen　diǎn　fēn kāishǐ yóuyǒng.
★ 他们　11　点 10　分 开始　游泳。　　　　　　（ ✓ ）
They started swimming at 11:10.

Wǒ huì tiàowǔ, dàn tiào de bù zěnmeyàng.
我 会 跳舞，但 跳 得 不 怎么样。
I can dance, but not well.

Wǒ tiào de fēicháng hǎo.
★ 我 跳 得 非常　好。　　　　　　　　　　（ × ）
I dance pretty well.

Zhège fángjiān shì　Lìli　de，tā xǐhuan fěnsè de fángjiān.
26. 这个　房间　是 丽丽 的，她　喜欢 粉色 的 房间。

Lìli　de fángjiān shì fěnsè de.
★ 丽丽 的 房间　是 粉色 的。　　　　　　　（ 　 ）

Zhuōzi shang de bàozhǐ shì zuótiān de，jīntiān sòng bàozhǐ de méi lái.
27. 桌子　上　的 报纸 是 昨天 的，今天　送　报纸 的 没 来。

Zhuōzi shang de bàozhǐ bú shì jīntiān de.
★ 桌子　上　的 报纸 不 是 今天 的。　　　（ 　 ）

Nǐ de yào zài fángjiān li，zhè shì bàba de.
28. 你的 药 在 房间 里，这 是 爸爸 的。

Fángjiān li　de yào shì　bàba .de.
★ 房间　里 的 药 是 爸爸 的。　　　　　　（ 　 ）

Zhè kuài shǒubiǎo shì zuótiān mǎi de，wǒ hěn xǐhuan.
29. 这 块　手表　是 昨天 买 的，我 很 喜欢。

Wǒ zuótiān mǎile　yí kuài shǒubiǎo.
★ 我　昨天 买了 一块　手表。　　　　　　（ 　 ）

Xiǎo Wáng, nǐ xǐhuan nǎge yánsè de bēizi? Gěi nǐ yí ge.
30. 小　王，你 喜欢 哪个 颜色 的 杯子？给 你 一个。

Tā yào gěi xiǎo Wáng yí ge hóngsè bēizi.
★ 他 要 给 小　王 一个 红色 杯子。　　　（ 　 ）

第四部分　Part IV

第 31–35 题：选择合适的问答

Questions 31-35: Match the sentences to make dialogues.

Wǒ bú rènshi qiánbian de nà liǎng ge rén, tāmen shì shéi?
A　我 不认识 前边 的那 两 个人，他们 是 谁？

Lái le, nǐ xiūxi yíxià ba, kànkan bàozhǐ, hēhe chá.
B　来了，你 休息 一下 吧， 看看 报纸，喝喝 茶。

Wǒ xiǎng gěi bàba mǎi yí kuài shǒubiǎo, nǐ juéde zhè kuài zěnmeyàng?
C　我 想 给爸爸买一块 手表，你 觉得 这 块 怎么样？

Jīntiān wǒ yào gěi érzi、 nǚ'ér zuò zǎofàn, yào gěi zhàngfu zuò wǔfàn, hái yào gěi péngyoumen
D　今天 我要 给儿子、女儿 做 早饭，要 给 丈夫 做 午饭，还 要 给 朋友们

zuò wǎnfàn.
做 晚饭。

Tā zài nǎr ne? Nǐ kànjiàn tā le ma?
E　他 在 哪儿 呢? 你 看见 他 了吗？

Wǒ de fángjiān tài xiǎo, zhù bu xià liǎng ge rén.
F　我 的 房间 太小，住 不 下 两 个人。

Tā hái zài jiàoshì li xuéxí.
例如：他 还 在 教室 里 学习。　　　　　　　E

Example: He is still studying in the classroom.

Zuò sān cì fàn, zhēn lèi a!
31. 做 三次 饭，真 累 啊！　　　　　　☐

Zuǒbian de shì Wáng lǎoshī, pángbiān de shì Zhāng lǎoshī.
32. 左边 的是 王 老师， 旁边 的是 张 老师。　　☐

Méi guānxi, wǒ qù Dàwèi jiā, tā jiā hěn dà.
33. 没 关系，我 去 大卫家，他家很 大。　　☐

Jīntiān de bàozhǐ lái le ma?
34. 今天 的 报纸来了吗？　　　　　　☐

Wǒ juéde zhè kuài hěn piàoliang.
35. 我 觉得 这 块 很 漂亮。　　　　　☐

三、语音 Pronunciation 03-2

第一部分　Part Ⅰ

第 1 题：听录音，注意每个词中重音的位置

Question 1: Listen to the recording and pay attention to the stress in each word.

（1）diànzǐ yóujiàn　　　　（2）bàntú'érfèi

（3）bódà jīngshēn　　　　（4）jiéjìn quánlì

（5）huàshé tiānzú　　　　（6）bǎojīng cāngsāng

（7）bámiáo zhùzhǎng　　　　（8）kǎnkǎn ér tán

第二部分　Part Ⅱ

第 2 题：听录音，注意每个词中重音的位置并跟读

Question 2: Listen to the recording and pay attention to the stress in each word. Then read after the recording.

shūshufūfū
（1）舒舒服服

píngping'ān'ān
（2）平平安安

tòngtongkuāikuāi
（3）痛痛快快

liàngliangtāngtāng
（4）亮亮堂堂

húlihútū
（5）糊里糊涂

gānganjìngjìng
（6）干干净净

hēigulōngdōng
（7）黑咕隆咚

jīijigūgū
（8）唧唧咕咕

四、汉字　Characters

第一部分　Part I

第 1–2 题：看汉字，按偏旁归类

Questions1-2: Group the characters with the same radical.

A 到　　　B 树　　C 杯　　　D 机

E 别　　　F 刊　　G 刑　　　H 林

1. 木：_____

2. 刂：_____

第二部分　Part II

第 3 题：看生词和图片，猜出词义

Question 3: Guess the meaning of each word based on the new words and picture.

粉色　　红色　　黑色　　白色

——　　——　　——　　——

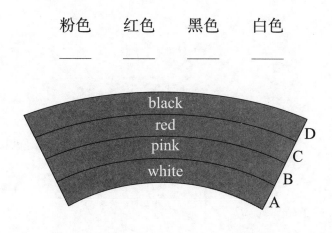

第三部分   Part Ⅲ

第 4 题：看笔顺，写独体字
Question 4: Look at the stroke order and practice writing the single-component characters.

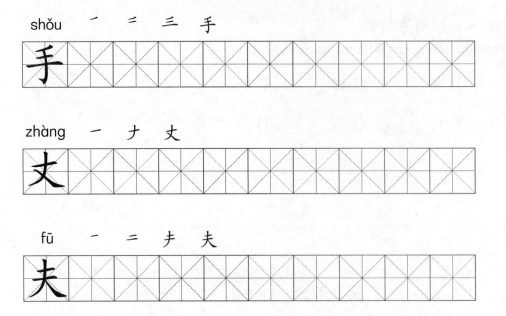

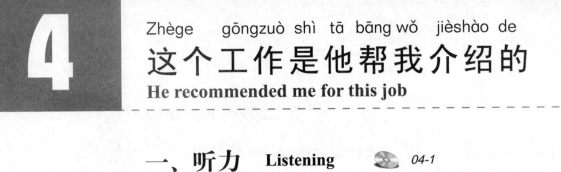

一、听力 Listening 🔘 04-1

第一部分 Part I

第 1–5 题：听句子，判断对错

Questions 1-5: Decide whether the pictures are right or wrong based on the sentences you hear.

例如： Example:	![family photo]	Wǒmen jiā yǒu sān ge rén. 我们 家 有 三 个 人。 There are three people in my family. ✓
	![bicycle]	Wǒ měi tiān zuò gōnggòngqìchē 我 每 天 坐 公共汽车 qù shàng bān. 去 上 班。 I go to work by bus every day. ✗
1.	![woman]	
2.	![soccer player]	
3.	![couple cooking]	
4.	![street scene]	
5.	![woman portrait]	

第二部分　Part II

第 6–10 题：听对话，选择与对话内容一致的图片
Questions 6-10: Choose the right picture for each dialogue you hear.

A

B

C

D

E

F

Nǐ xǐhuan shénme yùndòng?
例如：　男：你 喜欢 什么　运动？
Example:　　What sport do you like?

Wǒ zuì xǐhuan tī zúqiú.
女：我 最 喜欢 踢 足球。　　　　　 D
My favorite sport is playing football.

6.

7.

8.

9.

10.

第三部分　Part Ⅲ

第 11–15 题：听对话，选择正确答案

Questions 11-15: Listen to the dialogues and answer the questions.

Xiǎo Wáng, zhèli yǒu jǐ ge bēizi, nǎge shì nǐ de?

例如：　男：小　王，这里有几个杯子，哪个是你的?

Example:　Xiao Wang, here are some cups, which of these cups is yours?

Zuǒbian nàge hóngsè de shì wǒ de.

女：左边　那个红色 的是我的。

The red one on the left is mine.

Xiǎo Wáng de bēizi shì shénme yánsè de?

问：小　王 的杯子是 什么 颜色 的?

Question: What color is Xiao Wang's cup?

	hóngsè	hēisè	báisè
A	红色 red ✓	B 黑色 black	C 白色 white

	Zhāng lǎoshī	xiǎo Wáng	Wáng lǎoshī
11.	A 张　老师	B 小　王	C 王　老师

	Dàwèi	Lǐ xiānsheng	bù zhīdào
12.	A 大卫	B 李 先生	C 不 知道

	yì nián qián	yì nián duō le	liǎng nián qián
13.	A 一年 前	B 一年 多了	C 两 年 前

	hěn bù xǐhuan	fēicháng xǐhuan	bú tài xǐhuan
14.	A 很 不喜欢	B 非常　喜欢	C 不太 喜欢

	shí nián	bú dào shí nián	shíjǐ nián
15.	A 十 年	B 不到 十 年	C 十几 年

二、阅读 Reading

第一部分 Part I

第 16–20 题：看图片，选择与句子内容一致的图片
Questions 16-20: Choose the right picture for each sentence.

A

B

C

D

E

F

Měi ge xīngqīliù, wǒ dōu qù dǎ lánqiú.
例如：每 个 星期六，我 都 去 打 篮球。

Example: I go to play basketball every Saturday.

 D

Tāngmǔ   xiānsheng jièshào wǒmen rènshi de.
16. 汤姆 (Tom) 先生   介绍 我们 认识 的。

Bàba yǐjīng huílai le,   tā zài kàn diànshì ne.
17. 爸爸 已经 回来 了，他 在 看 电视 呢。

Zuótiān shì wǒ de shēngrì, zhè shì wǒ zhàngfu sòng gěi wǒ de.
18. 昨天 是 我 的 生日，这 是 我 丈夫 送 给 我 的。

Wǎnfàn shì Lǐ xiǎojiě bāng wǒ zuò de.
19. 晚饭 是 李 小姐 帮 我 做 的。

Zhāng xiānsheng fēicháng máng, wǎnshang bù néng huí jiā.
20. 张 先生 非常 忙，晚上 不 能 回家。

第二部分　Part II

第 21-25 题：选择合适的词语填空

Questions 21-25: Choose the proper words to fill in the brackets.

jièshào	bāng	gěi	fēicháng	guì	yǐjīng
A 介绍	B 帮	C 给	D 非常	E 贵	F 已经

Zhèr de yángròu hěn hǎochī, dànshì yě hěn

例如：这儿的 羊肉 很 好吃，但是 也 很 （ E ）。

Example: The mutton here is delicious, but it is also expensive.

Wǒ shēntǐ bù hǎo, bù néng qù xuéxiào, nǐ 　　　　　 wǒ gěi Wáng lǎoshī dǎ ge diànhuà ba.

21. 我 身体 不好, 不 能 去 学校, 你 （　　　）我 给 王 老师 打个 电话 吧。

Míngtiān shì Lìli de shēngrì, nǐ xiǎng sòng 　　　　 tā shénme?

22. 明天 是 丽丽 的 生日, 你 想 送 （　　　）她 什么?

Zhè běn shū 　　　 hǎo, wǒmen dōu kàn le, nǐ yě kànkan ba.

23. 这 本 书 （　　　）好, 我们 都 看 了, 你 也 看看 吧。

Yīshēng shuō nǐ de bìng 　　　 hǎo le, míngtiān kāishǐ bù chī zhège yào le.

24. 医生 说你的 病 （　　　）好 了, 明天 开始 不吃 这个 药 了。

Nǐ rènshi Lǐ xiānsheng ma? Néng bu néng gěi wǒ 　　　 yíxià.

25. 你 认识 李 先生 吗? 能 不 能 给 我 （　　　）一下。

第三部分　Part Ⅲ

第 26–30 题：判断下列句子的意思是否正确
Questions 26-30: Decide whether the inferences are true or false.

Xiànzài shì diǎn fēn, tāmen yǐjīng yóule   fēnzhōng le.
例如：现在　是 11 点 30 分，他们 已经 游了 20 分钟 了。
Example: It's 11:30 now. They have been swimming for 20 minutes.

Tāmen   diǎn   fēn kāishǐ yóuyǒng.
★ 他们　11 点 10 分 开始 游泳。　　　　　　　(✓)
They started swimming at 11:10.

Wǒ huì tiàowǔ, dàn tiào de bù zěnmeyàng.
我 会 跳舞，但 跳 得 不 怎么样。

I can dance, but not well.

Wǒ tiào de fēicháng hǎo.
★ 我 跳 得 非常 好。　　　　　　　　　　　(✗)

I dance pretty well.

Māma zuò wǎnfàn le, wǎnshang wǒmen huíjiā chī fàn ba.
26. 妈妈 做 晚饭 了，晚上 我们 回家吃饭吧。

Tāmen wǎnshang bù chūqu chī fàn.
★ 他们　晚上　不 出去 吃饭。　　　　　　(　)

Xiàwǔ wǒ shuì jiào de shíhou yǒu yí ge diànhuà, wǒ méi jiē.
27. 下午 我 睡 觉 的 时候 有 一 个 电话，我 没 接。

Wǒ bù zhīdào diànhuà shì shéi dǎ de.
★ 我 不 知道 电话 是 谁 打 的。　　　　　(　)

Míngtiān shì nǐ de shēngrì, míngtiān wǎnshang wǒ bù gōngzuò.
28. 明天　是你的 生日，明天　晚上 我 不 工作。

Tā míngtiān wǎnshang méiyǒu shíjiān.
★ 他 明天　晚上　没有 时间。　　　　　　(　)

Nǐ wèn yíxià bàba shénme shíhou qù tī zúqiú.
29. 你 问 一下 爸爸 什么　时候 去 踢 足球。

Bàba yào tī zúqiú.
★ 爸爸 要 踢 足球。　　　　　　　　　　　(　)

Shānmǔ, wǒ gěi nǐ jièshào yíxià, zhè shì wǒ de dàxué tóngxué Xiè Lì.
30. 山姆，我给你 介绍 一下，这是我的大学　同学 谢 力。

Wǒ hé Xiè Lì shì dàxué de shíhou rènshi de.
★ 我 和 谢力是 大学 的 时候 认识 的。　　　(　)

第四部分　Part IV

第 31–35 题：选择合适的问答

Questions 31-35: Match the sentences to make dialogues.

Zhè běn shū shì nǐ shénme shíhou xiě de?
A　这 本 书 是 你 什么 时候 写 的?

Zuótiān wǎnshang de diànhuà shì shéi dǎ de?
B　昨天 晚上 的 电话 是 谁 打 的?

Nǐ de Hànzì fēicháng piàoliang!
C　你 的 汉字 非常 漂亮!

Jīntiān wǒ fēicháng gāoxìng, nǐmen duō chī diǎnr.
D　今天 我 非常 高兴, 你们 多 吃 点儿。

Tā zài nǎr ne? Nǐ kànjiàn tā le ma?
E　他 在 哪儿 呢? 你 看见 他 了 吗?

Zhè jǐ tiān wǒ bù xiǎng chī fàn, juéde hěn lèi.
F　这 几天 我 不 想 吃饭, 觉得 很 累。

Tā hái zài jiàoshì li xuéxí.
例如：他 还 在 教室 里 学习。　　　　　 E

Example: He is still studying in the classroom.

Wáng Fāng dǎ de, tā shuō jīntiān bù néng qù xuéxiào le.
31. 王 方 打 的, 她 说 今天 不 能 去 学校 了。　　□

Xièxiè! Wǒ shì dàxué de shíhou kāishǐ xué de.
32. 谢谢! 我 是 大学 的 时候 开始 学 的。　　□

Shì bu shì bìng le? Nǐ wèn yíxià yīshēng ba.
33. 是 不 是 病 了? 你 问 一下 医生 吧。　　□

Èrlíngyīyī nián ba, yǐjīng liǎng nián le.
34. 2011 年 吧, 已经 两 年 了。　　□

Wǒmen yě hěn gāoxìng, shēngrì kuàilè!
35. 我们 也 很 高兴, 生日 快乐!　　□

三、语音 Pronunciation　　　🔘 *04-2*

第一部分　Part Ⅰ

第 1 题：听录音，注意每个句子中重读的部分

Question 1: Listen to the recording and pay attention to the stress in each sentence.

Wǒ yào qù Běijīng lǚyóu.
（1）我 要 去 北京 旅游。

Wǒ xǐhuan chī Zhōngguócài.
（2）我 喜欢 吃 中国菜。

Zhuōzi shang yǒu yì běn shū, méiyǒu diànnǎo.
（3）桌子 上 有一本书，没有 电脑。

Dàwèi Hànyǔ shuō de hěn liúlì.
（4）大卫 汉语 说 得很 流利。

Nǐ chuān de tài shǎo le.
（5）你 穿 得太 少 了。

第二部分　Part Ⅱ

第 2 题：听录音并跟读下列句子，注意重读的部分

Question 2: Listen to the recording and repeat the following sentences, paying attention to the stress in each sentence.

Wǒ érzi shì yīshēng.
（1）我 儿子 是 医生。

Wǒ māma Zhōngguócài zuò de hěn hǎo.
（2）我 妈妈 中国菜 做 得很 好。

Xiàwǔ wǒ qù péngyou jiā kàn diànyǐng.
（3）下午 我去 朋友 家看 电影。

Dàwèi xiě Hànzì xiě de hěn piàoliang.
（4）大卫 写汉字 写 得很 漂亮。

Zuótiān Lǐ Yuè mǎi le yí ge bēizi.
（5）昨天 李月 买了一个 杯子。

四、汉字　Characters

第一部分　Part Ⅰ

第1–2题：看汉字，按偏旁归类
Questions1-2: Group the characters with the same radical.

A 快　　　B 纸　　　C 情　　　D 给

E 慢　　　F 红　　　G 忙　　　H 绍

1. 纟: _____

2. 忄: _____

第二部分　Part Ⅱ

第3题：看生词和图片，猜出词义
Question 3: Guess the meaning of each word based on the new words and pictures.

篮球　　足球　　乒乓球　　网球
—— —— —— ——

A

B

C

D

第三部分 Part Ⅲ

第 4 题：看笔顺，写独体字
Question 4: Look at the stroke order and practice writing the single-component characters.

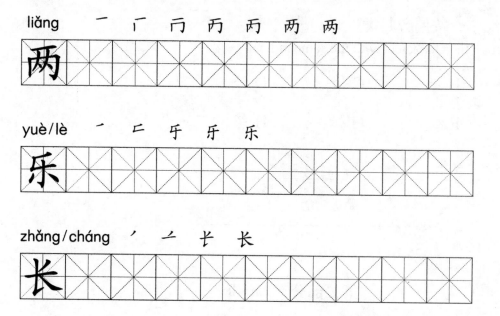

5

Jiù mǎi zhè jiàn ba
就买这件吧
Take this one

一、听力　Listening　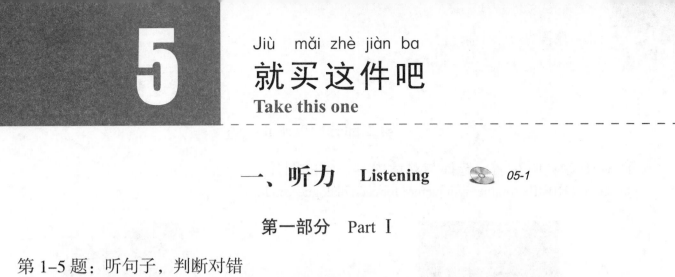　*05-1*

第一部分　Part Ⅰ

第 1–5 题：听句子，判断对错

Questions 1-5: Decide whether the pictures are right or wrong based on the sentences you hear.

例如： Example:	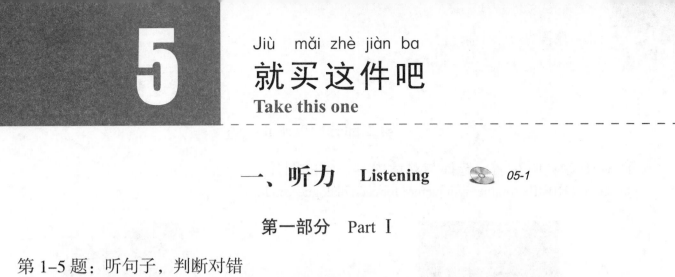	Wǒmen jiā yǒu sān ge rén. 我们　家 有 三 个 人。 There are three people in my family.	✓
	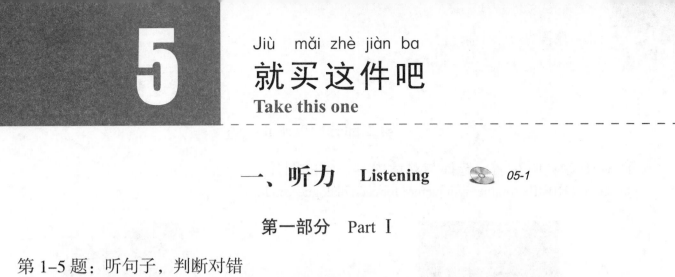	Wǒ měi tiān zuò gōnggòngqìchē 我 每 天 坐　公共汽车 qù shàng bān. 去 上　班。 I go to work by bus every day.	✗
1.	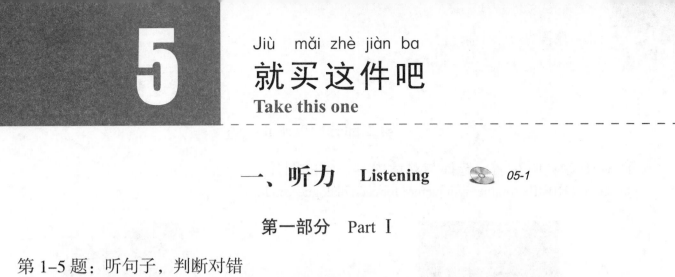		
2.	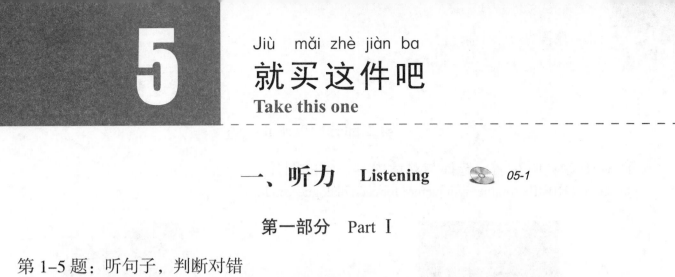		
3.	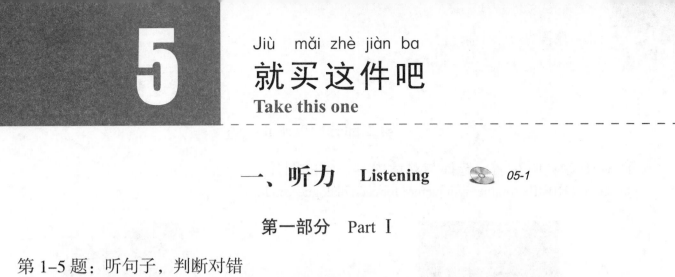		
4.	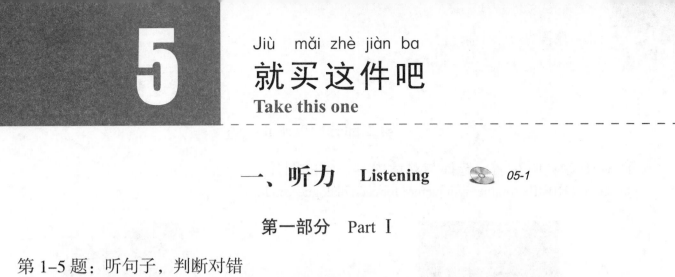		
5.	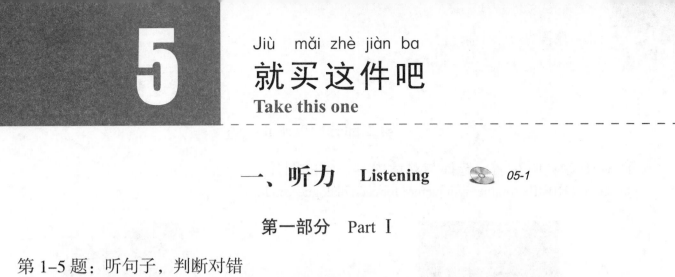		

第二部分　Part Ⅱ

第 6-10 题：听对话，选择与对话内容一致的图片

Questions 6-10: Choose the right picture for each dialogue you hear.

A

B

C

D

E

F

例如：　男：
Nǐ xǐhuan shénme yùndòng?
你 喜欢 什么　运动？

Example:　　What sport do you like?

Wǒ zuì xǐhuan tī zúqiú.
女：我 最 喜欢 踢 足球。　　　D

My favorite sport is playing football.

6. ☐

7. ☐

8. ☐

9. ☐

10. ☐

第三部分　Part Ⅲ

第 11–15 题：听对话，选择正确答案

Questions 11-15: Listen to the dialogues and answer the questions.

　　　　　　Xiǎo Wáng, zhèli yǒu jǐ ge bēizi, nǎge shì nǐ de?

例如：　男：小　王，这里 有 几 个 杯子，哪个 是 你 的?

Example:　Xiao Wang, here are some cups, which of these cups is yours?

　　　　　　Zuǒbian nàge hóngsè de shì wǒ de.

　　女：左边　那个 红色 的 是 我 的。

　　The red one on the left is mine.

　　　　　　Xiǎo Wáng de bēizi shì shénme yánsè de?

　　问：小　王 的 杯子 是 什么 颜色 的?

　　Question: What color is Xiao Wang's cup?

　　　　　hóngsè　　　　　　　　hēisè　　　　　　　　báisè
　　A　红色 red　√　　B　黑色 black　　C　白色 white

　　　　　wàimian　　　　　　　kāfēiguǎn　　　　　　shūdiàn
11.　A　外面　　　　　　B　咖啡馆　　　　　C　书店

　　　　　yú　　　　　　　　　dōu ài chī　　　　　　wǎnfàn
12.　A　鱼　　　　　　　B　都 爱 吃　　　　　C　晚饭

　　　　　tā érzi bù xǐhuan　　　　　　　　　yǐzi yǒudiǎnr gāo
13.　A　他 儿子 不 喜欢　　　　　　B　椅子 有点儿 高

　　　　　yìbǎi kuài qián
　　C　一百 块 钱

　　　　　dú hé xiě hái bú cuò　　　　　　shuō hé xiě hái bú cuò
14.　A　读 和 写 还 不 错　　　　　B　说 和 写 还 不 错

　　　　　tīng hé shuō hái bú cuò
　　C　听 和 说 还 不 错

　　　　　yí ge　　　　　　　bù chī　　　　　　　hěn duō
15.　A　一 个　　　　　B　不 吃　　　　　C　很 多

二、阅读 Reading

第一部分 Part I

第 16-20 题：看图片，选择与句子内容一致的图片

Questions 16-20: Choose the right picture for each sentence.

A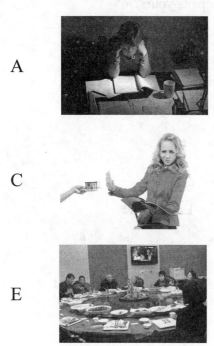

B

C

D

E

F

Měi ge xīngqīliù, wǒ dōu qù dǎ lánqiú.

例如：每 个 星期六，我 都 去 打 篮球。   D

Example: I go to play basketball every Saturday.

Jīntiān shì bàba de shēngrì, wǒmen jiù qù wàimian chī fàn ba.

16. 今天 是爸爸的 生日， 我们就 去 外面 吃饭 吧。   ☐

Māma zuòle nǐ zuì ài chī de cài.

17. 妈妈 做了你最爱吃 的菜。   ☐

Wǒ yǒudiǎnr lèi, xiūxi yíxià.

18. 我 有点儿累，休息 一下。   ☐

Tā zhè jǐ tiān yào zhǔnbèi kǎoshì, wǒ méi gěi tā dǎ diànhuà.

19. 他 这 几天 要 准备 考试，我 没 给 他 打 电话。   ☐

Wǒ bù hē le, wǒ yǐjīng hēle sān bēi le.

20. 我 不喝了，我 已经 喝了 三 杯 了。   ☐

第二部分　Part Ⅱ

第 21-25 题：选择合适的词语填空

Questions 21-25: Choose the proper words to fill in the brackets.

jiù　　　ba　　　hái　　　duì　　　guì　　　yǐhòu

A 就　　B 吧　　C 还　　D 对　　E 贵　　F 以后

　　　　Zhèr　de yángròu hěn hǎochī，dànshì yě hěn

例如：这儿的 羊肉 很 好吃，但是 也 很 （ E ）。

Example: The mutton here is delicious, but it is also expensive.

　　　　Wáng Fāng，nǐ qù mǎi yìdiǎnr　shuǐguǒ

21. 王　方，你 去 买 一点儿 水果 （　　　）。

　　　　Wǒ xiàwǔ sì diǎn kǎoshì，kǎoshì　　　gěi nǐ dǎ diànhuà.

22. 我 下午 四 点 考试，考试（　　）给 你 打 电话。

　　　　Wǒ yǒu liǎng běn，nǐ xǐhuan　　　sòng gěi nǐ yì běn.

23. 我 有 两 本，你 喜欢（　　）送 给 你 一本。

　　　　Wǒ tài máng le，méi shíjiān yùndòng，wǒ zhīdào yùndòng　　　shēntǐ hěn hǎo.

24. 我 太 忙 了，没 时间 运动，我 知道 运动（　　）身体 很 好。

　　　　Jīntiān de cài　　　kěyǐ，dōu shì wǒ zhàngfu zuò de.

25. 今天 的菜（　　）可以，都 是 我 丈夫 做 的。

第三部分　Part Ⅲ

第 26-30 题：判断下列句子的意思是否正确

Questions 26-30: Decide whether the inferences are true or false.

Xiànzài shì diǎn fēn, tāmen yǐjīng yóule fēnzhōng le.
例如：现在 是 11 点 30 分，他们 已经 游了 20 分钟 了。
Example: It's 11:30 now. They have been swimming for 20 minutes.

Tāmen diǎn fēn kāishǐ yóuyǒng.
★ 他们 11 点 10 分 开始 游泳。　　　　　　　(√)
They started swimming at 11:10.

Wǒ huì tiàowǔ, dàn tiào de bù zěnmeyàng.
我 会 跳舞，但 跳 得 不 怎么样。
I can dance, but not well.

Wǒ tiào de fēicháng hǎo.
★ 我 跳 得 非常 好。　　　　　　　　　　　　(×)
I dance pretty well.

Sānbǎi kuài qián hái kěyǐ, nǐ xǐhuan jiù mǎi ba.
26. 三百 块 钱 还 可以，你 喜欢 就 买 吧。

Tā bù xǐhuan zhè jiàn yīfu.
★ 她 不 喜欢 这 件 衣服。　　　　　　　　　( )

Wǒmen yìqǐ zhǔnbèi wǎnfàn, nǐ zuò yú, wǒ zuò cài.
27. 我们 一起 准备 晚饭，你 做 鱼，我 做 菜。

Tāmen bú qù wàimian chī fàn.
★ 他们 不 去 外面 吃饭。　　　　　　　　　( )

Zuótiān de kǎoshì dú hé xiě bú tài hǎo.
28. 昨天 的 考试 读 和 写 不 太 好。

Tā zài xiǎng zuótiān de kǎoshì ne.
★ 他 在 想 昨天 的 考试 呢。　　　　　　　( )

Wǒ zhōngwǔ yǒudiǎnr lèi, hēle liǎng bēi kāfēi.
29. 我 中午 有点儿 累，喝了 两 杯 咖啡。

Tā lèi de shíhou hē kāfēi.
★ 他 累 的 时候 喝 咖啡。　　　　　　　　　( )

Nǐ shǎo hē yìdiǎnr ba, hēduō le duì shēntǐ bù hǎo.
30. 你 少 喝 一点儿 吧，喝多 了 对 身体 不 好。

Tā de shēntǐ bú tài hǎo.
★ 他 的 身体 不 太 好。　　　　　　　　　　( )

第四部分　Part IV

第 31-35 题：选择合适的问答
Questions 31-35: Match the sentences to make dialogues.

Wǒ jīntiān zǎoshang liù diǎn qǐ chuáng de, xiànzài yǒudiǎnr lèi.
A 我 今天 早上 六点 起 床 的，现在 有点儿 累。

Nǐ huì zuò shénme cài?
B 你 会 做 什么 菜？

Míngtiān wǒ qù gōngsī, bú qù dǎ qiú le.
C 明天 我 去 公司，不去 打 球 了。

Zuótiān de kǎoshì nǐ juéde zěnmeyàng?
D 昨天 的 考试 你 觉得 怎么样？

Tā zài nǎr ne? Nǐ kànjiàn tā le ma?
E 他 在 哪儿 呢？你 看见 他 了 吗？

Nǐ zhǔnbèi qù Běijīng lǚyóu de dōngxi le ma?
F 你 准备 去 北京 旅游 的 东西 了 吗？

Tā hái zài jiàoshì li xuéxí ne.
例如：他 还 在 教室 里 学习 呢。　　　　　　　　　　　　　　　　E
Example: He is still studying in the classroom.

Wǒ huì zuò yú, nǐ ài chī yú ma?
31. 我 会 做鱼，你 爱 吃鱼 吗？

Nǐ xiūxi yíxià ba.
32. 你 休息 一下 吧。

Wǒ juéde hái bú cuò.
33. 我 觉得 还 不错。

Wǒmen xià ge xīngqī qù, míngtiān zài zhǔnbèi ba.
34. 我们 下 个 星期 去，明天 再 准备 吧。

Hǎo ba, nǐ míngtiān huíjiā yǐhòu gěi wǒ dǎ diànhuà.
35. 好 吧，你 明天 回家 以后 给 我 打 电话。

三、语音 Pronunciation 💿 05-2

第一部分 Part Ⅰ

第1题：听录音，注意每个句子中重读的部分

Question 1: Listen to the recording and pay attention to the stress in each sentence.

Zhè shì jīntiān zǎoshang de bàozhǐ.

（1）这 是 今天 早上 的 报纸。

Jīntiān de yángròu hěn hǎochī.

（2）今天 的 羊肉 很 好吃。

Zhège fěnsè de fángjiān shì wǒ nǚ'ér de.

（3）这个 粉色的 房间 是 我 女儿 的。

Dàwèi zài Běijīng xuéxí Hànyǔ.

（4）大卫 在 北京 学习 汉语。

Wǒmen xuéxiào měi tiān zǎoshang bā diǎn bàn shàng kè.

（5）我们 学校 每 天 早上 八点 半 上 课。

第二部分 Part Ⅱ

第2题：听录音并跟读下列句子，注意重读的部分

Question 2: Listen to the recording and repeat the following sentences, paying attention to the stress in each sentence.

Zhège yuè wǒ měi tiān dōu yóuyǒng.

（1）这个 月 我 每 天 都 游泳。

Xiè Péng mǎile jǐ gè xīn de bēizi.

（2）谢 朋 买了 几 个 新 的 杯子。

Nà shì Lǐ xiǎojiě de diànnǎo.

（3）那是 李 小姐 的 电脑。

Fěnsè shì wǒ nǚ'ér zuì xǐhuan de yánsè.

（4）粉色 是 我 女儿 最 喜欢 的 颜色。

Wǒ měi ge zhōumò dōu qù nàge Zhōngguó fànguǎn chī fàn.

（5）我 每 个 周末 都 去 那个 中国 饭馆 吃 饭。

四、汉字 Characters

第一部分 Part Ⅰ

第 1–2 题：看汉字，按偏旁归类

Questions1-2: Group the characters with the same radical.

A 庆   B 床   C 孩   D 应

E 孙   F 孔   G 店   H 孤

1. 孑：_____

2. 广：_____

第二部分 Part Ⅱ

第 3 题：看生词和图片，猜出词义

Question 3: Guess the meaning of each word based on the new words and pictures.

图书馆   茶馆   饭馆   咖啡馆
————   ————   ————   ————

A

B

C

D

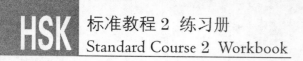

第三部分　Part Ⅲ

第 4 题：看笔顺，写独体字
Question 4: Look at the stroke order and practice writing the single-component characters.

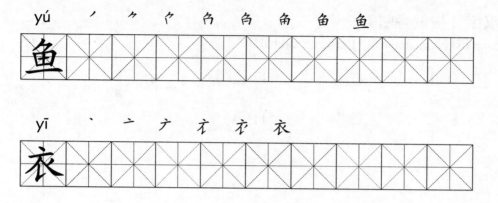

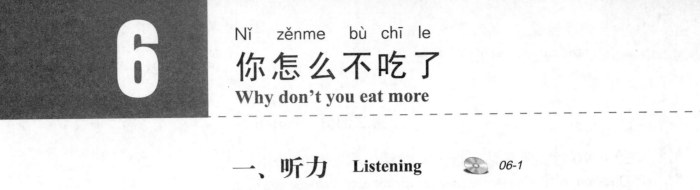

6

你怎么不吃了

Why don't you eat more

一、听力 Listening 06-1

第一部分 Part I

第 1–5 题：听句子，判断对错

Questions 1-5: Decide whether the pictures are right or wrong based on the sentences you hear.

例如： Example:	Wǒmen jiā yǒu sān ge rén. 我们 家 有 三 个 人。 There are three people in my family.	✓
	Wǒ měi tiān zuò gōnggòngqìchē 我 每 天 坐 公共汽车 qù shàng bān. 去 上 班。 I go to work by bus every day.	✗
1.		
2.		
3.		
4.		
5.		

第二部分　Part II

第 6-10 题：听对话，选择与对话内容一致的图片
Questions 6-10: Choose the right picture for each dialogue you hear.

A

B

C

D

E

F

Nǐ xǐhuan shénme yùndòng?
例如：　男：你 喜欢 什么　运动？
Example:　　What sport do you like?

Wǒ zuì xǐhuan tī zúqiú.
　　　　女：我 最 喜欢 踢 足球。　　　　　　　　　　　D
　　　　My favorite sport is playing football.

6.

7.

8.

9.

10.

第三部分　Part Ⅲ

第 11-15 题：听对话，选择正确答案

Questions 11-15: Listen to the dialogues and answer the questions.

Xiǎo Wáng, zhèli yǒu jǐ ge bēizi, nǎge shì nǐ de?

例如：　男：小　王，这里 有 几 个 杯子，哪个 是 你 的？

Example:　　Xiao Wang, here are some cups, which of these cups is yours?

Zuǒbian nàge hóngsè de shì wǒ de.

女：左边　那个 红色 的 是 我 的。

The red one on the left is mine.

Xiǎo Wáng de bēizi shì shénme yánsè de?

问：小　王 的 杯子 是 什么 颜色 的？

Question: What color is Xiao Wang's cup?

	hóngsè		hēisè		báisè
A	红色 red	√	B 黑色 black	C	白色 white

	nǚ de	nán de	méiyǒu rén kànjiàn xiǎo Wèi
11.	A 女 的	B 男 的	C 没有 人 看见 小 卫

	yángròu bù hǎochī	yángròu tài guì le	měi tiān dōu chī
12.	A 羊肉 不好吃	B 羊肉 太贵 了	C 每 天 都 吃

	tiānqì bù hǎo	tiānqì tài lěng le	gōngzuò tài máng le
13.	A 天气不好	B 天气 太冷 了	C 工作 太忙 了

	bāshí gōngjīn	liùshíwǔ gōngjīn	qīshí gōngjīn
14.	A 八十 公斤	B 六十五 公斤	C 七十 公斤

	xiǎo Wáng	xiǎo Zhāng	jiějie
15.	A 小 王	B 小 张	C 姐姐

二、阅读 Reading

第一部分 Part I

第 16–20 题：看图片，选择与句子内容一致的图片
Questions 16-20: Choose the right picture for each sentence.

A

B

C

D

E

F

Měi ge xīngqīliù, wǒ dōu qù dǎ lánqiú.
例如：每 个 星期六，我 都 去 打 篮球。   D
Example: I go to play basketball every Saturday.

Nǐ de xīn jiā hěn piàoliang, wǒ xiǎng qù nǐ jiā wánr.
16. 你 的 新 家 很 漂亮， 我 想 去 你 家 玩儿。

Wǒ hé péngyoumen mǎi de yīfu jiànjiàn dōu hěn guì.
17. 我 和 朋友们 买 的 衣服 件件 都 很 贵。

Zhège xīngqī tiāntiān chī yángròu, wǒ xiǎng chī yú le.
18. 这个 星期 天天 吃 羊肉，我 想 吃 鱼 了。

Wǒ měi tiān yùndòng, xiànzài wǔshí gōngjīn le.
19. 我 每 天 运动， 现在 五十 公斤 了。

Tīngshuō Lǐ Péng hé tā nǚpéngyou qù lǚyóu le.
20. 听说 李 朋 和他 女朋友 去 旅游 了。

第二部分　Part II

第 21–25 题：选择合适的词语填空

Questions 21-25: Choose the proper words to fill in the brackets.

jiànjiàn	yīnwèi	dǎ	jīngcháng	guì	gōngjīn
A 件件	B 因为	C 打	D 经常	E 贵	F 公斤

Zhèr de yángròu hěn hǎochī，dànshì yě hěn

例如：这儿 的 羊肉 很 好吃，但是 也 很 （ E ）。

Example: The mutton here is delicious, but it is also expensive.

Zuótiān xià yǔ le， suǒyǐ wǒmen dōu méi qù   lánqiú.

21. 昨天 下雨了，所以 我们 都 没 去（ ）篮球。

Zhè jiā shāngdiàn de yīfu   dōu piàoliang.

22. 这 家 商店 的 衣服（ ）都 漂亮。

Wǒ   gēn tóngxuémen yìqǐ xuéxí Hànyǔ.

23. 我（ ）跟 同学们 一起 学习 汉语。

gōngzuò hěn máng， suǒyǐ wǒ méiyǒu shíjiān yùndòng.

24. （ ）工作 很 忙，所以 我 没有 时间 运动。

Nǐ zhīdào yì   píngguǒ duōshao qián ma?

25. 你 知道 一（ ）苹果 多少 钱 吗?

第三部分　Part Ⅲ

第 26-30 题：判断下列句子的意思是否正确

Questions 26-30: Decide whether the inferences are true or false.

Xiànzài shì diǎn fēn, tāmen yǐjīng yóule fēnzhōng le.

例如：现在 是 11 点 30 分，他们 已经 游了 20 分钟 了。

Example: It's 11:30 now. They have been swimming for 20 minutes.

Tāmen diǎn fēn kāishǐ yóuyǒng.

★ 他们 11 点 10 分 开始 游泳。 　　　　　　（ √ ）

They started swimming at 11:10.

Wǒ huì tiàowǔ, dàn tiào de bù zěnmeyàng.

我 会 跳舞，但 跳 得 不 怎么样。

I can dance, but not well.

Wǒ tiào de fēicháng hǎo.

★ 我 跳 得 非常 好。 　　　　　　　　　　（ × ）

I dance pretty well.

Wǒ zài mén wài kànjiàn xiǎo Wáng de zìxíngchē le.

26. 我 在 门 外 看见 小 王 的 自行车 了。

Xiǎo Wáng lái le, wǒ kànjiàn tā le.

★ 小 王 来 了，我 看见 他 了。 　　　　　（ 　 ）

Tiāntiān dōu chī yángròu, yǒu jīdàn miàntiáo ma?

27. 天天 都 吃 羊肉，有 鸡蛋 面条 吗?

Wǒ bù xiǎng chī yángròu le.

★ 我 不 想 吃 羊肉 了。 　　　　　　　　（ 　 ）

Yīnwèi zuótiān xià yǔ, suǒyǐ wǒmen dōu méi qù dǎ lánqiú.

28. 因为 昨天 下雨，所以 我们 都 没 去 打 篮球。

Zuótiān tiānqì bù hǎo.

★ 昨天 天气 不 好。 　　　　　　　　　　（ 　 ）

Tīngshuō xiǎo Wáng qù Běijīng kàn tā jiějie le, suǒyǐ méi lái xuéxiào.

29. 听说 小 王 去 北京 看他 姐姐 了，所以 没来 学校。

Xiǎo Wáng xiànzài zài Běijīng ne.

★ 小 王 现在 在 北京 呢。 　　　　　　　（ 　 ）

Bàba zài yīyuàn gōngzuò, tā měi tiān dōu hěn máng, suǒyǐ hěn shǎo yǒu shíjiān xiūxi.

30. 爸爸 在 医院 工作，他 每 天 都 很 忙，所以 很 少 有 时间 休息。

Bàba shì dàifu, tā zài yīyuàn gōngzuò.

★ 爸爸 是 大夫，他 在 医院 工作。 　　　　（ 　 ）

第四部分　Part Ⅳ

第 31–35 题：选择合适的问答

Questions 31-35: Match the sentences to make dialogues.

Shì a, xià yǔ le.
A　是啊，下雨了。

Tā yǐjīng lái le, nǐ méi kànjiàn ma?
B　他已经来了，你没看见吗？

Tā jīntiān shēntǐ bú tài hǎo.
C　他今天身体不太好。

Tiāntiān chī mǐfàn, wǒ xiǎng lái diǎnr miàntiáo.
D　天天吃米饭，我想来点儿面条。

Tā zài nǎr ne? Nǐ kànjiàn tā le ma?
E　他在哪儿呢？你看见他了吗？

Zuótiān xià yǔ le.
F　昨天下雨了。

Tā hái zài jiàoshì li xuéxí.
例如：他还在教室里学习。　

Example: He is still studying in the classroom.

Xiǎo Wáng jīntiān zěnme méi lái xuéxiào?
31. 小王今天怎么没来学校？

Nǐmen zuótiān zěnme méi qù dǎ lánqiú?
32. 你们昨天怎么没去打篮球？

Dàwèi shénme shíhou lái xuéxiào?
33. 大卫什么时候来学校？

Nǐ hái xiǎng chī shénme?
34. 你还想吃什么？

Jīntiān tiānqì hěn lěng.
35. 今天天气很冷。

三、语音 Pronunciation 🔘 *06-2*

第一部分 Part Ⅰ

第 1 题：听录音，注意每个句子中重读的部分

Question 1: Listen to the recording and pay attention to the stress in each sentence.

Tā zài fángjiān kàn diànshì.
（1）他 在 房间 看 电视。

Tā zài fángjiān kàn diànshì.
（2）他 在 房间 看 电视。

Wǒ jiǔ yuè qù Běijīng lǚyóu.
（3）我 九 月 去 北京 旅游。

Wǒ jiǔ yuè qù Běijīng lǚyóu.
（4）我 九 月 去 北京 旅游。

第二部分 Part Ⅱ

第 2 题：听录音并跟读下列句子，注意重读的部分

Question 2: Listen to the recording and repeat the following sentences, paying attention to the stress in each sentence.

Wǒ hěn xǐhuan chī miàntiáo.
（1）我 很 喜欢 吃 面条。

Wǒ jīntiān qù xuéxiào shàng kè.
（2）我 今天 去 学校 上 课。

Zuótiān tāmen dōu méi qù dǎ lánqiú.
（3）昨天 他们 都 没 去 打 篮球。

Zhège yuè wǒ tiāntiān yóuyǒng.
（4）这个 月 我 天天 游泳。

四、汉字　Characters

第一部分　Part I

第1-2题：看汉字，按偏旁归类

Questions1-2: Group the characters with the same radical.

A 想　　　B 独　　　C 狗　　　D 念

E 猫　　　F 忑　　　G 猪　　　H 忿

1.犭：_____

2.心：_____

第二部分　Part II

第3题：看生词和图片，猜出词义

Question 3: Guess the meaning of each word based on the new words and pictures.

公共汽车　　火车　　出租车　　自行车

—— —— —— ——

A

B

C

D

第三部分　Part Ⅲ

第 4 题：看笔顺，写独体字

Question 4: Look at the stroke order and practice writing the single-component characters.

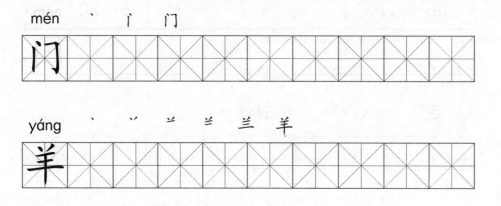

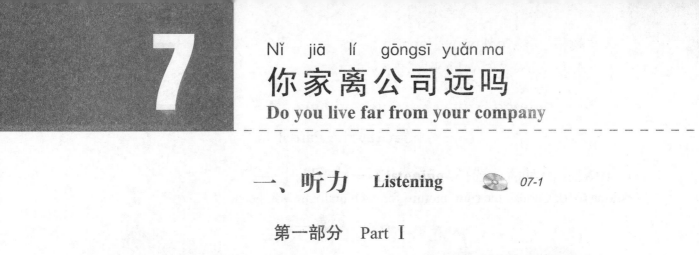

7

Nǐ jiā lí gōngsī yuǎn ma

你家离公司远吗

Do you live far from your company

一、听力　Listening　💿 *07-1*

第一部分　Part I

第 1–5 题：听句子，判断对错

Questions 1-5: Decide whether the pictures are right or wrong based on the sentences you hear.

例如： Example:		Wǒmen jiā yǒu sān ge rén. 我们　家　有　三　个　人。 There are three people in my family.　　✓
		Wǒ měi tiān zuò gōnggòngqìchē 我　每　天　坐　公共汽车 qù shàng bān. 去　上　班。　　✗ I go to work by bus every day.
1.		
2.		
3.		
4.		
5.		

第二部分　Part II

第 6-10 题：听对话，选择与对话内容一致的图片

Questions 6-10: Choose the right picture for each dialogue you hear.

A

B

C

D

E

F

Nǐ xǐhuan shénme yùndòng?

例如：　男：你 喜欢 什么 运动？

Example:　　What sport do you like?

Wǒ zuì xǐhuan tī zúqiú.

女：我 最 喜欢 踢 足球。　　　　　　D

My favorite sport is playing football.

6.　　　　　　　　　　　　□

7.　　　　　　　　　　　　□

8.　　　　　　　　　　　　□

9.　　　　　　　　　　　　□

10.　　　　　　　　　　　　□

第三部分　Part Ⅲ

第 11–15 题：听对话，选择正确答案

Questions 11-15: Listen to the dialogues and answer the questions.

例如：　　　Xiǎo Wáng, zhèli yǒu jǐ ge bēizi,　nǎge shì nǐ de?
　　　男：小　王，这里 有 几 个 杯子，哪个 是 你 的?

Example:　　Xiao Wang, here are some cups, which of these cups is yours?

　　　　　　Zuǒbian nàge hóngsè de shì wǒ de.
　　女：左边　那个 红色 的 是 我 的。

　　　　The red one on the left is mine.

　　　　　　Xiǎo Wáng de bēizi shì shénme yánsè de?
　　问：小　王 的 杯子 是 什么 颜色 的?

　　　　Question: What color is Xiao Wang's cup?

	hóngsè		hēisè		báisè
A	红色 red	✓	B 黑色 black		C 白色 white

11.	shuì jiào	kǎoshì	xuéxí
	A 睡 觉	B 考试	C 学习

12.	lù shang	jīchǎng	fēijī shang
	A 路 上	B 机场	C 飞机 上

13.	zuò gōnggòngqìchē	zìxíngchē	chūzūchē
	A 坐 公共汽车	B 自行车	C 出租车

14.	èr yuè yī hào	èr yuè qī hào	èr yuè shísì hào
	A 二月一号	B 二月七号	C 二月十四号

15.	bù yuǎn	hěn yuǎn	bú tài yuǎn
	A 不 远	B 很 远	C 不 太 远

二、阅读 Reading

第一部分 Part I

第 16-20 题：看图片，选择与句子内容一致的图片

Questions 16-20: Choose the right picture for each sentence.

A

B

C

D

E TAXI

F

Měi ge xīngqīliù, wǒ dōu qù dǎ lánqiú.

例如：每 个 星期六，我 都 去 打 篮球。   D

Example: I go to play basketball every Saturday.

Jīntiān de wǔfàn tài hǎochī le, wǒ hái xiǎng zài lái diǎnr ne.

16. 今天 的 午饭 太 好吃 了，我 还 想 再来 点儿 呢。   ☐

Yīnwèi xià yǔ, tā bù néng tī zúqiú le, suǒyǐ yǒudiǎnr bù gāoxīng.

17. 因为 下雨，他 不 能 踢 足球 了，所以 有点儿 不 高兴。   ☐

Wǒ yǐjīng dào le, nǐ hái yǒu duō cháng shíjiān néng dào zhèr?

18. 我 已经 到 了，你 还 有 多 长 时间 能 到 这儿？   ☐

Wǒ zuì xǐhuan de yùndòng shì pǎo bù.

19. 我 最喜欢 的 运动 是 跑步。   ☐

Gōngsī lí wǒ jiā hěn yuǎn, wǒ měi tiān zuò chūzūchē qù gōngsī.

20. 公司 离我家很 远，我 每天 坐 出租车 去 公司。   ☐

第二部分　Part II

第 21–25 题：选择合适的词语填空

Questions 21-25: Choose the proper words to fill in the brackets.

    lí   jiàoshì   jiù   guò   guì   gōngsī

A 离   B 教室   C 就   D 过   E 贵   F 公司

　　　　　Zhèr　de yángròu hěn hǎochī,　dànshì yě hěn

例如：这儿 的 羊肉　很 好吃，但是 也 很 （ E ）。

Example: The mutton here is delicious, but it is also expensive.

　　　　Wǒ jiā　　　　　xuéxiào bú tài yuǎn.

21. 我 家（　　）学校 不 太 远。

　　　　Běijīng dào Shànghǎi zuò fēijī yí ge duō xiǎoshí　　　dào le.

22. 北京 到　上海 坐 飞机 一个 多 小时（　　）到 了。

　　　　Wǎnshang shí diǎn duō le,　bàba hái zài　　　gōngzuò ne.

23. 晚上　十 点 多 了，爸爸 还 在（　　）工作 呢。

　　　　Míngtiān yǒu kǎoshì,　Dàwèi hái zài　　　xuéxí ne.

24. 明天　有 考试，大卫 还 在（　　）学习 呢。

　　　　Jīntiān shì nǐ de shēngrì,　nǐ xiǎng zěnme

25. 今天 是 你 的 生日，你 想 怎么（　　）？

第三部分　Part III

第 26–30 题：判断下列句子的意思是否正确

Questions 26-30: Decide whether the inferences are true or false.

Xiànzài shì　diǎn　fēn，tāmen yǐjīng yóule　fēnzhōng le.
例如：现在　是 11 点 30 分，他们 已经 游了 20 分钟 了。

Example: It's 11:30 now. They have been swimming for 20 minutes.

Tāmen　　diǎn　fēn kāishǐ　yóuyǒng.
★ 他们　11　点 10　分开始　游泳。　　　　　　（ ✓ ）

They started swimming at 11:10.

Wǒ huì tiàowǔ，dàn tiào de bù zěnmeyàng.
我 会 跳舞，但 跳 得 不 怎么样。

I can dance, but not well.

Wǒ tiào de fēicháng hǎo.
★ 我 跳 得 非常 好。　　　　　　　　　　　（ ✗ ）

I dance pretty well.

Dàwèi míngtiān yǒu kǎoshì，suǒyǐ hái zài jiàoshì xuéxí ne.
26. 大卫 明天 有 考试，所以还在 教室 学习呢。

Dàwèi bú zài jiā.
★ 大卫 不在家。　　　　　　　　　　　　（ 　 ）

Wǒ zài qù jīchǎng de lùshang ne，háiyǒu shí fēnzhōng jiù dào le.
27. 我 在去 机场 的 路上 呢，还有 十 分钟 就 到了。

Wǒ dào jīchǎng shí fēnzhōng le.
★ 我 到 机场 十 分钟 了。　　　　　　　（ 　 ）

Lí wǒ jiā bù yuǎn yǒu yí ge fànguǎn，zǒu jǐ fēnzhōng jiù dào le.
28. 离我家不 远 有一个 饭馆，走几 分钟 就到了。

Fànguǎn lí wǒ jiā bù yuǎn.
★ 饭馆 离我家不 远。　　　　　　　　（ 　 ）

Zuò gōnggòngqìchē tài màn le，wǒmen háishi zuò chūzūchē ba.
29. 坐 公共汽车 太 慢了，我们 还是 坐 出租车 吧。

Zuò chūzūchē yě hěn màn.
★ 坐 出租车 也 很 慢。　　　　　　　　（ 　 ）

Cóng xuéxiào dào jīchǎng，zuò chūzūchē yào yí ge xiǎoshí，wǒmen bā diǎn zǒu，kěyǐ ma?
30. 从 学校 到 机场，坐 出租车 要一个 小时，我们 八点 走，可以 吗?

Tāmen yào zuò bā diǎn de fēijī.
★ 他们 要 坐 八点 的 飞机。　　　　　　（ 　 ）

第四部分　Part Ⅳ

第 31-35 题：选择合适的问答

Questions 31-35: Match the sentences to make dialogues.

Hái méiyǒu ne.
A　还　没有　呢。

Zuò gōnggòngqìchē tài màn le.
B　坐　公共汽车　太慢了。

Bù yuǎn, wǒ měi tiān zǒu lù qù xuéxiào.
C　不远，我每天走路去学校。

Wǒmen jiā qiánmian yǒu yí ge xiǎo fànguǎn, zǒu jǐ fēnzhōng jiù dào le, qù nàr chī ba.
D　我们　家前面　有一个小饭馆，走几分钟　就到了，去那儿吃吧。

Tā zài nǎr ne? Nǐ kànjiàn tā le ma?
E　他在哪儿呢? 你看见他了吗?

Wǒ zài qù jīchǎng de lùshang.
F　我在去机场的路上。

Tā hái zài jiàoshì li xuéxí.
例如：他还在教室里学习。　　　　　　　　　　　　　　　E

Example: He is still studying in the classroom.

Dàwèi huílai le ma?
31. 大卫　回来了吗?　　　　　　　　　　　　　　　☐

Nǐ xiànzài zài nǎr ne?
32. 你现在　在哪儿呢?　　　　　　　　　　　　　☐

Nǐ wèi shénme bú zuò gōnggòngqìchē qù gōngsī?
33. 你为什么　不坐　公共汽车　去公司?　　　　☐

Wǒ jīntiān hěn lèi, bù xiǎng zuò fàn le, wǒmen chūqu chī ba.
34. 我今天很累，不想　做饭了，我们出去吃吧。　☐

Nǐ jiā lí xuéxiào yuǎn bu yuǎn?
35. 你家离学校　远不远?　　　　　　　　　　　☐

三、语音 Pronunciation 07-2

第一部分 Part I

第1题：听录音，注意句末的升降调
Question 1: Listen to the recording and pay attention to the intonation at the end of each sentence.

Tā jiā lí gōngsī hěn yuǎn.
（1）他 家 离 公司 很 远。↘

Tā jiā lí gōngsī hěn yuǎn?
（2）他 家 离 公司 很 远? ↗

Wǒ zài qù fēijīchǎng de lùshang.
（3）我 在 去 飞机场 的 路上。↘

Nǐ zài qù fēijīchǎng de lùshang?
（4）你 在 去 飞机场 的 路上? ↗

第二部分 Part II

第2题：听录音并跟读下列句子，注意句末的升降调
Question 2: Listen to the recording and repeat the following sentences, paying attention to the intonation at the end of each sentence.

Míngtiān wǒmen yǒu kǎoshì.
（1）明天 我们 有 考试。↘

Nǐ zhīdào míngtiān yǒu kǎoshì?
（2）你 知道 明天 有 考试? ↗

Wǒ qī diǎn bàn jiù lái jiàoshì le.
（3）我 七 点 半 就 来 教室 了。↘

Nǐ měi tiān dōu qù xuéxiào shàng kè?
（4）你 每 天 都 去 学校 上 课? ↗

四、汉字　Characters

第一部分　Part Ⅰ

第 1–2 题：看汉字，按偏旁归类
Questions1-2: Group the characters with the same radical.

A 放　　　B 行　　　C 故　　　D 做

E 往　　　F 彷　　　G 敌　　　H 待

1. 彳：_____

2. 攵：_____

第二部分　Part Ⅱ

第 3 题：看生词和图片，猜出词义
Question 3: Guess the meaning of each word based on the new words and pictures.

机场　　商场　　停车场　　运动场

———　　———　　———　　———

A

B

C

D

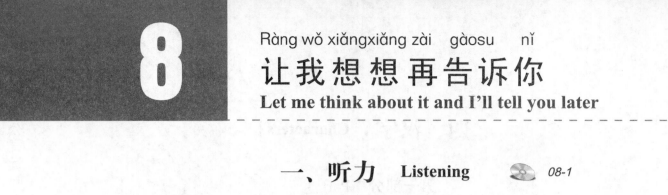

Ràng wǒ xiǎngxiǎng zài gàosu nǐ

让 我 想 想 再 告 诉 你

Let me think about it and I'll tell you later

一、听力　Listening　　　🔘 *08-1*

第一部分　Part I

第 1–5 题：听句子，判断对错

Questions 1-5: Decide whether the pictures are right or wrong based on the sentences you hear.

例如： Example:		Wǒmen jiā yǒu sān ge rén. 我们 家 有 三 个 人。 There are three people in my family.　　　✓
		Wǒ měi tiān zuò gōnggòngqìchē 我 每 天 坐　公共汽车 qù shàng bān. 去 上 班。　　　✗ I go to work by bus every day.
1.		
2.		
3.		
4.		
5.		

第二部分　Part II

第6–10题：听对话，选择与对话内容一致的图片
Questions 6-10: Choose the right picture for each dialogue you hear.

A

B

C

D

E

F

Nǐ xǐhuan shénme yùndòng?

例如：　男：你 喜欢 什么 运动?
Example:　　What sport do you like?

Wǒ zuì xǐhuan tī zúqiú.

女：我 最 喜欢 踢 足球。
My favorite sport is playing football.

D

6.

7.

8.

9.

10.

第三部分　Part Ⅲ

第 11-15 题：听对话，选择正确答案

Questions 11-15: Listen to the dialogues and answer the questions.

Xiǎo Wáng, zhèli yǒu jǐ ge bēizi,　nǎge shì nǐ de?

例如：　男：小　王，这里有几个杯子，哪个是你的？

Example:　Xiao Wang, here are some cups, which of these cups is yours?

Zuǒbian nàge hóngsè de shì wǒ de.

女：左边　那个红色 的是我的。

The red one on the left is mine.

Xiǎo Wáng de bēizi shì shénme yánsè de?

问：小　王 的杯子是 什么 颜色 的？

Question: What color is Xiao Wang's cup?

	hóngsè		hēisè		báisè
A	红色 red	√	B 黑色 black	C	白色 white

	shǒujī	shǒubiǎo	zìxíngchē
11.	A 手机	B 手表	C 自行车

	xiǎng chànggē	xiǎng kàn diànyǐng	xiǎng kàn diànshì
12.	A 想　唱歌	B 想　看　电影	C 想　看　电视

	tī zúqiú	pǎo bù	dǎ lánqiú
13.	A 踢 足球	B 跑步	C 打 篮球

	lǎoshī	yīshēng	fúwùyuán
14.	A 老师	B 医生	C 服务员

	dōu bù hǎo	hēi de	bái de
15.	A 都 不好	B 黑的	C 白的

二、阅读　Reading

第一部分　Part I

第 16–20 题：看图片，选择与句子内容一致的图片
Questions 16-20: Choose the right picture for each sentence.

A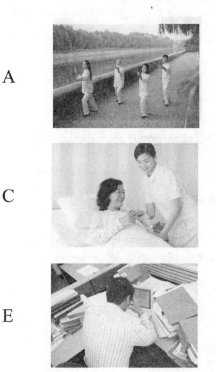

B

C

D

E

F

Měi ge xīngqīliù, wǒ dōu qù dǎ lánqiú.
例如：每 个 星期六，我 都 去 打 篮球。　　　　　D
Example: I go to play basketball every Saturday.

Wǒ jīntiān hěn máng, méi shíjiān kàn diànyǐng.
16. 我 今天 很 忙， 没 时间 看 电影。

Wàimian tiānqì hěn hǎo, wǒmen yìqǐ qù yùndòng yùndòng ba.
17. 外面 天气 很 好，我们 一起 去 运动 运动 吧。

Wáng lǎoshī ràng wǒ gěi Zhāng Péng dǎ ge diànhuà.
18. 王 老师 让 我 给 张 朋 打个 电话。

Māma shēng bìng le, wǒmen qù yīyuàn kànkan tā ba.
19. 妈妈 生 病了，我们 去 医院 看看 她 吧。

Xiǎo Wáng gàosu wǒ, zhège shāngdiàn de dōngxi yǒudiǎnr guì.
20. 小 王 告诉我，这个 商店 的 东西 有点儿 贵。

第二部分　Part II

第 21-25 题：选择合适的词语填空
Questions 21-25: Choose the proper words to fill in the brackets.

	děng	ràng	zài	shìqing	guì	zhǎo
	A 等	B 让	C 再	D 事情	E 贵	F 找

Zhèr de yángròu hěn hǎochī, dànshì yě hěn
例如：这儿的 羊肉 很 好吃，但是 也 很 （ E ）。
Example: The mutton here is delicious, but it is also expensive.

Wǒ zhège xīngqī tài máng le, xià ge xīngqī zài　　　　shíjiān yìqǐ qù kàn diànyǐng ba.
21. 我 这个星期太 忙 了，下个 星期 再（　　）时间 一起 去 看 电影 吧。

Zhāng lǎoshī zài shàng kè ne, tā ràng nǐ　　　　yíhuìr.
22. 张 老师 在 上 课呢，他 让 你（　　）一会儿。

Wáng lǎoshī　　　　wǒ gàosu nǐ, míngtiān tā yǒu shì, bù néng lái shàng kè le.
23. 王 老师（　　）我 告诉你，明天 他 有 事，不 能 来 上 课了。

Dàwèi jīntiān bú zài jiā, nǐ míngtiān　　　　gěi tā dǎ diànhuà ba.
24. 大卫 今天 不在家，你 明天（　　）给他打 电话 吧。

Qǐngwèn, nǐ zhǎo fúwùyuán yǒu shénme
25. 请问，　你 找 服务员 有 什么（　　）？

第三部分　Part Ⅲ

第 26–30 题：判断下列句子的意思是否正确

Questions 26-30: Decide whether the inferences are true or false.

Xiànzài shì　diǎn　fēn, tāmen yǐjīng yóule　fēnzhōng le.
例如：现在　是11点30分，他们　已经　游了 20　分钟　了。

Example: It's 11:30 now. They have been swimming for 20 minutes.

Tāmen　　diǎn　fēn kāishǐ yóuyǒng.
★ 他们　11 点 10 分 开始　游泳。　　　　　　　　（ √ ）

They started swimming at 11:10.

Wǒ huì tiàowǔ, dàn tiào de bù zěnmeyàng.
我 会 跳舞，但 跳 得 不 怎么样。

I can dance, but not well.

Wǒ tiào de fēicháng hǎo.
★ 我 跳 得 非常　好。　　　　　　　　　　　　　（ × ）

I dance pretty well.

Wáng lǎoshī ràng wǒ gěi Dàwèi dǎ ge diànhuà.
26. 王　老师 让 我 给 大卫 打个 电话。

Wáng lǎoshī gěi Dàwèi dǎ diànhuà.
★ 王　老师 给 大卫 打 电话。　　　　　　　　　（ 　 ）

Jīntiān xiàwǔ wǒ méi shíjiān,　míngtiān zài qù kàn diànyǐng ba.
27. 今天 下午我 没 时间，　明天 再去 看　电影 吧。

Jīntiān bù néng qù kàn diànyǐng.
★ 今天 不 能 去 看　电影。　　　　　　　　　　（ 　 ）

Zhè jiàn bái de yǒudiǎnr cháng,　nà jiàn hēi de yǒudiǎnr guì.
28. 这 件 白的有点儿 长，那件 黑的 有点儿 贵。

Liǎng jiàn yīfu,　wǒ dōu bù xǐhuan.
★ 两　件 衣服，我 都 不 喜欢。　　　　　　　　（ 　 ）

Jīntiān tiānqì bú tài hǎo,　děng tiānqì hǎo de shíhou zài qù gěi nǐ mǎi zìxíngchē ba.
29. 今天 天气不太好，等 天气 好 的 时候 再去 给你 买 自行车 吧。

Wàimian zhèngzài xià yǔ.
★ 外面　　正在 下 雨。　　　　　　　　　　　　（ 　 ）

Nǐ kàn, zhè shì wǒmen jiā de māo, yǎnjing piàoliang ba? Shì wǒ jiějie sòng gěi wǒ de.
30. 你看，这是 我们 家的猫，眼睛　漂亮 吧？是 我 姐姐 送 给 我 的。

Māo bú shì wǒ jiā de.
★ 猫 不 是 我 家 的。　　　　　　　　　　　　（ 　 ）

第四部分　Part Ⅳ

第 31-35 题：选择合适的问答

Questions 31-35: Match the sentences to make dialogues.

Zhè jiàn bái de yǒudiǎnr cháng, zhè jiàn hēi de wǒ yě bú tài xǐhuan, wǒ zài kànkan ba.
A　这 件 白的 有点儿 长， 这 件 黑的 我 也 不太 喜欢， 我 再 看看 吧。

Fúwùyuán, wǒ xiǎng yào diǎnr rèshuǐ.
B　服务员， 我 想 要 点儿 热水。

Míngtiān yào kǎoshì, kǎoshì hòu zài qù kàn ba.
C　明天　 要 考试，考试 后 再去 看 吧。

Ràng wǒ xiǎngxiang zài gàosu nǐ.
D　让 我　 想想　 再 告诉你。

Tā zài nǎr ne? Nǐ kànjiàn tā le ma?
E　他 在 哪儿 呢? 你 看见 他 了吗?

Tīngshuō tā shēng bìng le, wǒ xiǎng qù yīyuàn kànkan tā.
F　听说　 他 生 病 了，我 想 去 医院 看看 他。

Tā hái zài jiàoshì li xuéxí.
例如：他还 在 教室 里学习。　　　　　　　　　　　　　E

Example: He is still studying in the classroom.

Nǐ xiǎng kàn shénme diànyǐng?
31. 你 想 看 什么　 电影?

Nǐ zhǎo Dàwèi yǒu shénme shìqing ma?
32. 你 找 大卫 有 什么　 事情 吗?

Zhèxiē dōu shì jīntiān xīn lái de yīfu.
33. 这些 都 是 今天 新 来 的 衣服。

Hǎo de, qǐngwèn nín zhù nǎ ge fángjiān?
34. 好 的，请问 您 住 哪个 房间?

Wǎnshang qù kàn diànyǐng, hǎo ma?
35. 晚上　 去看 电影， 好 吗?

三、语音 Pronunciation 08-2

第一部分 Part I

第1题：听录音，注意句末的升降调

Question 1: Listen to the recording and pay attention to the intonation at the end of each sentence.

Wǒ shì liúxuéshēng.
（1）我 是 留学生。↘

Tīngshuō Dàwèi bìng le.
（2）听说 大卫 病 了。↘

Wǒ xiǎng zhǎo shíjiān qù kànkan lǎoshī.
（3）我 想 找 时间 去 看看 老师。↘

Nà jiàn hēi de yǒudiǎnr guì.
（4）那件 黑 的 有点儿 贵。↘

第二部分 Part II

第2题：听录音并跟读下列句子，注意句末的升降调

Question 2: Listen to the recording and repeat the following sentences, paying attention to the intonation at the end of each sentence.

Míngtiān wǒmen yǒu kǎoshì.
（1）明天 我们 有 考试。↘

Wǒ xiǎng chūqu yùndòng yùndòng.
（2）我 想 出去 运动 运动。↘

Jīntiān wàimian de tiānqì zhēn hǎo.
（3）今天 外面 的 天气 真 好。↘

Jīntiān xiàwǔ wǒ méi shíjiān qù kàn diànyǐng.
（4）今天 下午我 没 时间 去 看 电影。↘

四、汉字　Characters

第一部分　Part Ⅰ

第 1–2 题：看汉字，按偏旁归类

Questions1-2: Group the characters with the same radical.

A 对　　　　B 帐　　　　C 圣　　　　D 帮

E 欢　　　　F 帘　　　　G 帽　　　　H 取

1. 又：_____

2. 巾：_____

第二部分　Part Ⅱ

第 3 题：看生词和图片，猜出词义

Question 3: Guess the meaning of each word based on the new words and pictures.

驾驶员　　售货员　　服务员　　飞行员

_____　　_____　　_____　　_____

A

B

C

D

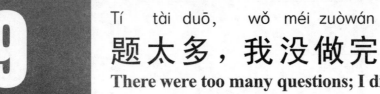

Tí tài duō,   wǒ méi zuòwán
题 太 多，我 没 做 完
There were too many questions; I didn't finish all of them

一、听力 Listening 💿 09-1

第一部分 Part Ⅰ

第 1–5 题：听句子，判断对错

Questions 1-5: Decide whether the pictures are right or wrong based on the sentences you hear.

例如： Example:		Wǒmen jiā yǒu sān ge rén. 我们 家 有 三 个 人。 There are three people in my family. ✓
		Wǒ měi tiān zuò gōnggòngqìchē 我 每 天 坐 公共汽车 qù shàng bān. 去 上 班。 ✗ I go to work by bus every day.
1.		
2.		
3.		
4.		
5.		

第二部分　Part II

第 6-10 题：听对话，选择与对话内容一致的图片
Questions 6-10: Choose the right picture for each dialogue you hear.

A

B

C

D

E

F

Nǐ xǐhuan shénme yùndòng?
例如：　男：你 喜欢 什么 运动？
Example:　　　What sport do you like?

Wǒ zuì xǐhuan tī zúqiú.
　　　女：我 最 喜欢 踢 足球。
　　　　My favorite sport is playing football.

D

6.

7.

8.

9.

10.

第三部分　Part III

第 11–15 题：听对话，选择正确答案

Questions 11-15: Listen to the dialogues and answer the questions.

　　　　　Xiǎo Wáng, zhèli yǒu jǐ ge bēizi, nǎge shì nǐ de?
例如：　男：小　王，这里 有 几 个 杯子，哪个 是 你 的？
Example:　　Xiao Wang, here are some cups, which of these cups is yours?

　　　　　Zuǒbian nàge hóngsè de shì wǒ de.
　　　女：左边　那个 红色 的 是 我 的。
　　　　　The red one on the left is mine.

　　　　　Xiǎo Wáng de bēizi shì shénme yánsè de?
　　　问：小　王 的 杯子 是 什么 颜色 的？
　　　Question: What color is Xiao Wang's cup?

　　　　　hóngsè　　　　　　　hēisè　　　　　　　báisè
　　　A 红色 red　√　　B 黑色 black　　C 白色 white

　　　　　xiǎng zhǎo nǚ de　　　xiǎng zhǎo Zhāng Huān　　　xiǎng qù kànkan Zhāng Huān
11.　A 想　找 女 的　　B 想　找　张　欢　　C 想　去 看看　张　欢

　　　　　zuótiān　　　　　　jīntiān　　　　　　　míngtiān
12.　A 昨天　　　　B 今天　　　　C 明天

　　　　　yīyuàn　　　　　　xuéxiào　　　　　　gōngsī
13.　A 医院　　　　B 学校　　　　C 公司

　　　　　méi kànjiàn　　　　kànjiàn le　　　　　méiyǒu bàozhǐ
14.　A 没 看见　　　B 看见 了　　　C 没有 报纸

　　　　　méi tīngdǒng　　　　bú huì zuò　　　　　méi zuòwán
15.　A 没 听懂　　　B 不会 做　　　C 没 做完

二、阅读 Reading

第一部分 Part I

第16–20题：看图片，选择与句子内容一致的图片
Questions 16-20: Choose the right picture for each sentence.

A

B

C

D

E

F

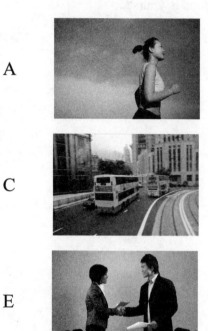

Měi ge xīngqīliù, wǒ dōu qù dǎ lánqiú.
例如：每 个 星期六，我 都 去 打 篮球。
Example: I go to play basketball every Saturday.　　　　　D

Fēicháng huānyíng nǐ lái wǒmen gōngsī shàng bān.
16. 非常 欢迎 你来 我们 公司 上 班。　　　☐

Chīwán wǎnfàn hòu, tā hái yào màn pǎo yí ge xiǎoshí.
17. 吃完 晚饭 后，她 还 要 慢 跑 一 个 小时。　　　☐

Kǎoshì bù nán, wǒ dōu zuòduì le.
18. 考试 不 难，我 都 做 对 了。　　　☐

Wǒ xīwàng néng hé péngyoumen yìqǐ guò shēngrì.
19. 我 希望 能 和 朋友们 一起 过 生日。　　　☐

Cóng wǒ jiā dào xuéxiào yào zuò yí ge duō xiǎoshí de gōnggòngqìchē.
20. 从 我家到 学校 要 坐一个 多 小时 的 公共汽车。　　　☐

第二部分　Part Ⅱ

第 21–25 题：选择合适的词语填空
Questions 21-25: Choose the proper words to fill in the brackets.

     shàng bān   cóng   xīwàng   wèntí   guì   dǒng
A 上　班　　B 从　　C 希望　　D 问题　　E 贵　　F 懂

    Zhèr de yángròu hěn hǎochī, dànshì yě hěn
例如：这儿 的 羊肉 很 好吃，但是 也很 （ E ）。
Example: The mutton here is delicious, but it is also expensive.

    Wǒ měi tiān　　　　bā diǎn dào shí'èr diǎn dōu zài gōngsī gōngzuò.
21. 我 每天（　　）八点 到 十二 点 都 在 公司 工作。

    Wǒ jiā lí gōngsī bú tài yuǎn, suǒyǐ měi tiān zǒu lù qù
22. 我 家离公司 不 太 远，所以 每 天 走路去（　　　）。

    Jīntiān de kè nǐ dōu tīng　　　　le méiyǒu?
23. 今天 的课你 都 听（　　）了 没有？

    Nǐ yǒu shénme　　　　dōu kěyǐ wèn lǎoshī.
24. 你有 什么（　　）都 可以 问 老师。

    Wǒ　　　　néng zhǎodào yí ge hǎo de gōngzuò.
25. 我（　　）能 找到 一个 好 的 工作。

第三部分　Part Ⅲ

第 26–30 题：判断下列句子的意思是否正确
Questions 26-30: Decide whether the inferences are true or false.

    Xiànzài shì　diǎn　fēn, tāmen yǐjīng yóule　fēnzhōng le.
例如：现在 是 11 点 30 分，他们 已经 游了 20 分钟 了。
Example: It's 11:30 now. They have been swimming for 20 minutes.

    Tāmen　　diǎn　fēn kāishǐ yóuyǒng.
★ 他们 11 点 10 分 开始 游泳。　　　　　　　　　（ √ ）
They started swimming at 11:10.

Wǒ huì tiàowǔ, dàn tiào de bù zěnmeyàng.

我 会 跳舞，但 跳 得 不 怎么样。

I can dance, but not well.

Wǒ tiào de fēicháng hǎo.

★ 我 跳 得 非常 好。　　　　　　　　　　（ × ）

I dance pretty well.

Wǒ nǚ'ér yǐjīng liù suì le,　wǒ xīwàng tā néng gēn nín xué chànggē.

26. 我 女儿已经六岁了，我 希望 她 能 跟 您 学 唱歌。

Tān nǚ'ér chànggē fēicháng hǎo.

★ 她 女儿 唱歌 非常 好。　　　　　　　　（　　）

Zhè shì tā de dì yī ge gōngzuò, cóng xià ge xīngqī kāishǐ shàng bān, xīwàng tā néng xǐhuan

27. 这 是 他的第一个 工作， 从 下 个 星期 开始 上 班，希望 他 能 喜欢

zhège gōngzuò.

这个 工作。

Tā hái méiyǒu shàng bān ne.

★ 他 还 没有 上 班 呢。　　　　　　　　（　　）

Zuótiān de kǎoshì bú tài nán, tí hěn duō, wǒ yǒu liǎng ge tí méiyǒu zuòwán.

28. 昨天 的考试 不太难，题很 多，我 有 两 个 题 没有 做完。

Zhè cì kǎoshì tí hěn duō, hěn nán.

★ 这 次 考试 题 很 多， 很 难。　　　　　（　　）

Jīntiān shì　yuè　hào, zài yǒu sān tiān jiù shì bàba de shēngrì le.　Wǒ xiǎng sòng tā yí ge

29. 今天 是 9 月 20 号，再有 三 天 就是 爸爸 的 生日 了。我 想 送 他 一 个

xīn shǒujī.

新 手机。

yuè　hào shì wǒ de shēngrì.

★ 9 月 23 号 是 我 的 生日。　　　　　（　　）

Wǒ de yí ge péngyou zhèngzài zhǎo fángzi, xīwàng lí gōngsī jìn yìxiē, zhèyàng tā měi tiān qī diǎn

30. 我 的 一 个 朋友 正在 找 房子，希望 离 公司 近 一些，这样 他 每 天 七 点

qǐ chuáng jiù kěyǐ le.

起 床 就可以 了。

Tā de péngyou xiànzài měi tiān qī diǎn qǐ chuáng.

★ 他 的 朋友 现在 每 天 七 点 起 床。　　（　　）

第四部分　Part IV

第 31-35 题：选择合适的问答
Questions 31-35: Match the sentences to make dialogues.

Jiù zài qiánmian, nǐ hái méi kànjiàn ma?
A　就在 前面，你还没 看见 吗？

Fēicháng hǎo, wǒ xiǎng míngnián zài lái yí cì.
B　非常　好，我 想　明年 再来一次。

Hái kěyǐ, dōu zuòwán le.
C　还可以，都 做完 了。

Zhèxiē yīfu nǐ yí ge rén néng xǐwán ma?
D　这些衣服你一个人 能 洗完 吗？

Tā zài nǎr ne? Nǐ kànjiàn tā le ma?
E　他在哪儿呢？你看见 他了吗？

Děngdeng wǒ, wǒ yě xiǎng qù.
F　等等　我，我也 想 去。

Tā hái zài jiàoshì li xuéxí.
例如：他还在 教室里学习。　　　　　　　　E

Example: He is still studying in the classroom.

Zuótiān de kǎoshì zěnmeyàng? Tí dōu zuòwán le ma?
31. 昨天　的考试　怎么样？题 都 做完 了吗？

Méi guānxi, jīntiān xǐ yìxiē, míngtiān zài xǐ yìxiē.
32. 没 关系，今天 洗一些， 明天 再洗一些。

Nǐ kànjiàn wǒ gēge le ma?
33. 你看见 我哥哥了吗？

Yángròu chīwán le, wǒ zài qù shāngdiàn mǎi yìxiē ba.
34. 羊肉　吃完 了，我再去　商店 买一些吧。

Dì yī cì lái Běijīng ba? Běijīng piàoliang ma?
35. 第一次来北京 吧？北京　漂亮 吗？

三、语音 Pronunciation 09-2

第一部分　Part Ⅰ

第1题：听录音，注意句末的升降调

Question 1: Listen to the recording and pay attention to the intonation at the end of each sentence.

Qǐngwèn Zhāng Huān zài ma?
（1）请问　张　欢 在 吗？⤴

Zuótiān de kǎoshì nǐ dōu tīngdǒng le ma?
（2）昨天　的 考试 你 都　听懂 了 吗？⤴

Wǔfàn zhǔnbèi hǎo le ma?
（3）午饭　准备　好 了 吗？⤴

Dàwèi zhǎodào gōngzuò le ma?
（4）大卫　找到　工作 了 吗？⤴

第二部分　Part Ⅱ

第2题：听录音并跟读下列句子，注意句末的升降调

Question 2: Listen to the recording and repeat the following sentences, paying attention to the intonation at the end of each sentence.

Nǐ xǐhuan xué tiàowǔ ma?
（1）你 喜欢　学　跳舞 吗？⤴

Nǐ shénme shíhou kāishǐ xuéxí tiàowǔ?
（2）你 什么　时候 开始 学习 跳舞？⤵

Wǒ qī diǎn bàn jiù lái jiàoshì le.
（3）我 七 点 半 就 来 教室 了。⤵

Zuótiān wǎnshang nǐ shí diǎn jiù shuì jiào le ma?
（4）昨天　晚上 你 十 点 就 睡 觉 了 吗？⤴

四、汉字 Characters

第一部分 Part Ⅰ

第1–2题：看汉字，按偏旁归类

Questions1-2: Group the characters with the same radical.

A 地 B 羔 C 杰 D 场

E 照 F 埋 G 热 H 块

1. 土: _____

2. 灬: _____

第二部分 Part Ⅱ

第3题：看生词和图片，猜出词义

Question 3: Guess the meaning of each word based on the new words and pictures.

电视　　电话　　电灯　　电冰箱

___　　___　　___　　___

A

B

C

D

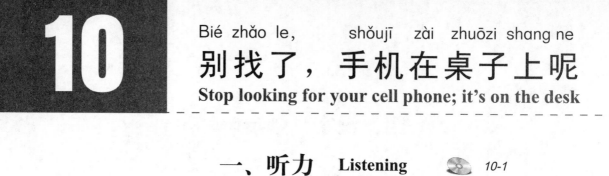

一、听力 Listening 10-1

第一部分 Part I

第 1–5 题：听句子，判断对错

Questions 1-5: Decide whether the pictures are right or wrong based on the sentences you hear.

例如： Example:		Wǒmen jiā yǒu sān ge rén. 我们 家 有 三 个 人。 There are three people in my family. ✓
		Wǒ měi tiān zuò gōnggòngqìchē 我 每 天 坐 公共汽车 qù shàng bān. 去 上 班。 I go to work by bus every day. ✗
1.		
2.		
3.		
4.		
5.		

88

第二部分　Part II

第 6-10 题：听对话，选择与对话内容一致的图片
Questions 6-10: Choose the right picture for each dialogue you hear.

A

B

C

D

E

F

Nǐ xǐhuan shénme yùndòng?
例如：　男：你 喜欢 什么 运动？
Example:　　　What sport do you like?

Wǒ zuì xǐhuan tī zúqiú.
女：我 最 喜欢 踢 足球。　　　　　　　D

My favorite sport is playing football.

6.

7.

8.

9.

10.

第三部分　Part Ⅲ

第 11–15 题：听对话，选择正确答案

Questions 11-15: Listen to the dialogues and answer the questions.

　　　　　　　Xiǎo Wáng, zhèli yǒu jǐ ge bēizi, nǎge shì nǐ de?
例如：　男：小　王，这里有几个杯子，哪个是你的?
Example:　Xiao Wang, here are some cups, which of these cups is yours?

　　　　　　　Zuǒbian nàge hóngsè de shì wǒ de.
　　　女：左边　那个红色的是我的。
　　　The red one on the left is mine.

　　　　　　　Xiǎo Wáng de bēizi shì shénme yánsè de?
　　　问：小　王的杯子是 什么 颜色的?
　　　Question: What color is Xiao Wang's cup?

　　　　hóngsè　　　　　　　　hēisè　　　　　　　　báisè
　　A 红色 red　√　　B 黑色 black　　C 白色 white

　　　　diànshì hǎo kàn　　　tā bù xiǎng shuì jiào　　tā xiǎng xuéxí Hànyǔ
11.　A 电视　好看　　B 他不想　睡觉　C 他想 学习 汉语

　　　　chá bù hǎo hē　　　　tā shēng bìng le　　　　tā chī yào le
12.　A 茶 不好　喝　　B 他生　病了　　C 他吃药了

　　　　bù zhīdào　　　　　　chuáng shang　　　　　zhuōzi shang
13.　A 不 知道　　　　B 床　　上　　C 桌子　上

　　　　bú tài máng　　　　　bú tài lèi　　　　　　xiǎng xiūxi
14.　A 不太忙　　　　B 不太累　　　　C 想　休息

　　　　méiyǒu mǐfàn　　　　chīwán le　　　　　　hěn kuài jiù kěyǐ chī fàn
15.　A 没有 米饭　　　B 吃完 了　　　C 很 快 就可以吃饭

二、阅读　Reading

第一部分　Part I

第 16–20 题：看图片，选择与句子内容一致的图片
Questions 16-20: Choose the right picture for each sentence.

A

B

C

D

E
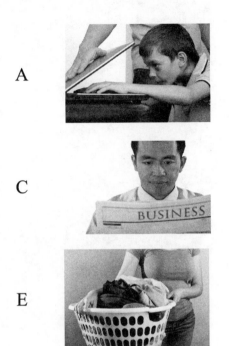

F

Měi ge xīngqīliù, wǒ dōu qù dǎ lánqiú.
例如：每 个 星期六，我 都 去 打 篮球。　　　D
Example: I go to play basketball every Saturday.

Wǒ měi tiān zǎoshang dōu kàn bàozhǐ.
16. 我 每天 早上 都看 报纸。　　□

Māma zhèngzài gěi wǒmen xǐ yīfu ne.
17. 妈妈 正在 给 我们 洗 衣服 呢。　　□

Bié wánr diànnǎo le, kàn diànnǎo shíjiān cháng le duì yǎnjīng bù hǎo.
18. 别 玩儿 电脑 了，看 电脑 时间 长 了 对 眼睛 不 好。　　□

Bié gōngzuò le, shuì jiào ba, míngtiān zǎodiǎnr qǐ chuáng.
19. 别 工作 了，睡 觉 吧， 明天 早点儿 起 床。　　□

Yǒu shénme wèntí, nǐ kěyǐ dǎ wǒ de shǒujī.
20. 有 什么 问题，你 可以 打 我 的 手机。　　□

第二部分　Part II

第 21-25 题：选择合适的词语填空
Questions 21-25: Choose the proper words to fill in the brackets.

bāngzhù　　zhèngzài　　kè　　jīdàn　　guì　　bié
A 帮助　　B 正在　　C 课　　D 鸡蛋　　E 贵　　F 别

Zhèr de yángròu hěn hǎochī, dànshì yě hěn
例如：这儿 的 羊肉 很 好吃，但是 也 很 （ E ）。
Example: The mutton here is delicious, but it is also expensive.

Míngtiān de　　　　　wǒ dōu zhǔnbèi hǎo le,　kěyǐ shuì jiào le.
21. 明天 的 （　　） 我 都 准备 好 了，可以 睡 觉 了。

Dàwèi shì yí ge xǐhuan　　　　biéren de hǎo háizi.
22. 大卫 是 一 个 喜欢 （　　） 别人 的 好 孩子。

Wǒ měi tiān zǎoshang chī yí ge　　　　hē yì bēi niúnǎi.
23. 我 每 天 早上 吃 一 个 （　　），喝 一 杯 牛奶。

Māma shuì jiào le, wǒmen　　　　kàn diànshì le.
24. 妈妈 睡 觉 了，我们 （　　） 看 电视 了。

Gēge　　　　wánr diànnǎo ne, méi shíjiān bāngzhù wǒ.
25. 哥哥 （　　） 玩儿 电脑 呢，没 时间 帮助 我。

第三部分　Part Ⅲ

第 26-30 题：判断下列句子的意思是否正确

Questions 26-30: Decide whether the inferences are true or false.

Xiànzài shì　diǎn　fēn, tāmen yǐjīng yóule　　fēnzhōng le.
例如：现在　是 11 点 30 分，他们　已经　游了　20　分钟　了。

Example: It's 11:30 now. They have been swimming for 20 minutes.

Tāmen　　　diǎn　　fēn kāishǐ yóuyǒng.
★ 他们　11　点　10　分 开始　游泳。　　　　　（ √ ）

They started swimming at 11:10.

Wǒ huì tiàowǔ, dàn tiào de bù zěnmeyàng.
我 会 跳舞，但 跳 得 不 怎么样。

I can dance, but not well.

Wǒ tiào de fēicháng hǎo.
★ 我 跳 得 非常　好。　　　　　　　　　　（ × ）

I dance pretty well.

Zhè běn shū shì wǒ xiě de, xīwàng néng duì nǐ yǒu bāngzhù.
26. 这 本 书 是 我 写 的，希望　能　对 你 有　帮助。

Zhè běn shū hái méi xiěwán.
★ 这 本 书 还 没 写完。　　　　　　　　　（　）

Yīshēng shuō zhège yào yào fànqián chī, chī yào hòu liǎng ge xiǎoshí bié hē chá.
27. 医生　说 这个 药 要 饭前 吃，吃 药 后 两 个 小时 别 喝茶。

Yīshēng shuō duō hē chá duì shēntǐ hǎo.
★ 医生　说 多 喝茶 对 身体 好。　　　　　（　）

Bié zhǎo le,　nǐ de shǒujī zài zhuōzi shang ne, diànnǎo pángbiān.
28. 别 找 了，你 的 手机 在 桌子　上　呢，电脑　旁边。

Diànnǎo yě zài zhuōzi shang.
★ 电脑　也 在 桌子　上。　　　　　　　　（　）

Nà jiàn báisè de yīfu wǒ bāng nǐ xǐ le,　zài wàimian ne.
29. 那 件 白色 的 衣服 我　帮 你 洗 了，在　外面　呢。

Yīfu　zài wàimian.
★ 衣服 在　外面。　　　　　　　　　　　（　）

Jīchǎng lí　zhèr hěn yuǎn, zuò gōnggòngqìchē yào yí ge duō xiǎoshí, zuò chūzūchē yě
30. 机场　离 这儿 很　远，坐　公共汽车　要 一个 多 小时，坐　出租车 也

yào sì wǔshí fēnzhōng ba.
要 四五十 分钟　吧。

Jīchǎng lí　zhèr fēicháng yuǎn.
★ 机场　离 这儿 非常　远。　　　　　　　（　）

第四部分　Part Ⅳ

第 31–35 题：选择合适的问答

Questions 31-35: Match the sentences to make dialogues.

Bà, wǒmen míngtiān qù pǎo bù ba.

A 爸，我们　明天　去 跑 步 吧。

Nǐ dìdi zhèngzài xuéxí Hànyǔ ma?

B 你 弟弟　正在　学习 汉语 吗？

Yí ge hóng de, yí ge bái de, zhēn piàoliang.

C 一个 红 的，一个 白 的，真　漂亮。

Nǐ míngtiān de kè dōu zhǔnbèi hǎo le ma?

D 你 明天　的课都　准备 好 了 吗？

Tā zài nǎr ne? Nǐ kànjiàn tā le ma?

E 他在 哪儿 呢？ 你 看见 他 了 吗？

Bié kàn diànshì le, míngtiān hái yào kǎoshì ne.

F 别 看 电视 了，明天　还 要 考试 呢。

Tā hái zài jiàoshì li xuéxí.

例如：他 还 在 教室 里 学习。　　　　　　　　　E

Example: He is still studying in the classroom.

Nǐ xǐhuan nǎ ge? Wǒ kěyǐ sòng gěi nǐ.

31. 你 喜欢 哪个？ 我 可以 送 给 你。

Hǎo a, yīshēng shuō duō yùndòng duì wǒ de shēntǐ hǎo.

32. 好 啊，医生　说 多 运动 对 我 的 身体 好。

Hǎo ba, wǒ zhè jiù qù shuì jiào.

33. 好 吧，我 这 就 去 睡 觉。

Duì, yīnwèi gōngsī xiǎng ràng tā míngnián qù Zhōngguó gōngzuò.

34. 对，因为 公司 想　让 他 明年 去 中国　工作。

Méi wèntí, nín fàngxīn ba.

35. 没 问题，您 放心 吧。

三、语音 Pronunciation 10-2

第一部分　Part I

第 1 题：听录音，注意句重音和句末的升降调

Question 1: Listen to the recording and pay attention to the stress in each sentence and the intonation at the end of each sentence.

Zhè shì shéi de bàozhǐ?
（1）这 是 谁 的 报纸？ ↘

Nǐ zhīdao zhè jiàn yīfu duōshao qián?
（2）你 知道 这 件 衣服 多少 钱？ ↘

Zhège Hànzì zěnme xiě?
（3）这个 汉字 怎么 写？ ↘

Zuótiān nǐ qù shāngdiàn dōu mǎi shénme dōngxi le?
（4）昨天 你 去 商店 都 买 什么 东西 了？ ↘

第二部分　Part II

第 2 题：听录音并跟读下列句子，注意句重音和句末的升降调

Question 2: Listen to the recording and repeat the following sentences, paying attention to the stress in each sentence and the intonation at the end of each sentence.

Nǐmen xuéxiào yǒu duōshao xuésheng?
（1）你们 学校 有 多少 学生？ ↘

Nǐ shénme shíhou kāishǐ xuéxí chànggē?
（2）你 什么 时候 开始 学习 唱歌？ ↘

Zhè běn shū shì gěi shéi mǎi de?
（3）这 本 书 是 给 谁 买 的？ ↘

Zuótiān wǎnshang nǐ jǐ diǎn jiù shuì jiào le?
（4）昨天 晚上 你 几点 就 睡 觉 了？ ↘

四、汉字　Characters

第一部分　Part I

第 1-2 题：看汉字，按偏旁归类
Questions1-2: Group the characters with the same radical.

A 空	B 超	C 究	D 起
E 越	F 穿	G 赴	H 穷

1. 走：_____

2. 穴：_____

第二部分　Part II

第 3 题：看生词和图片，猜出词义
Question 3: Guess the meaning of each word based on the new words and pictures.

洗衣机　　照相机　　手机　　电视机

A

B

C

D

Tā bǐ wǒ dà sān suì
他比我大三岁
He is three years older than me

一、听力 Listening 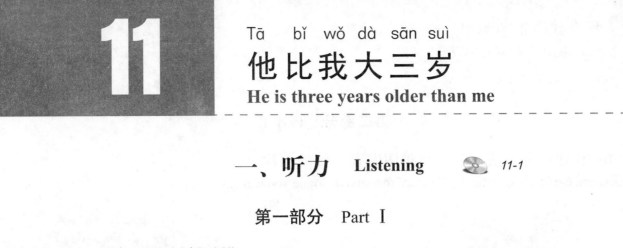 *11-1*

第一部分 Part I

第1–5题：听句子，判断对错

Questions 1-5: Decide whether the pictures are right or wrong based on the sentences you hear.

例如： Example:		Wǒmen jiā yǒu sān ge rén. 我们 家 有 三 个 人。 There are three people in my family. ✓
		Wǒ měi tiān zuò gōnggòngqìchē 我 每 天 坐 公共汽车 qù shàng bān. 去 上 班。 ✗ I go to work by bus every day.
1.		
2.		
3.		
4.		
5.		

第二部分 Part II

第6-10题：听对话，选择与对话内容一致的图片

Questions 6-10: Choose the right picture for each dialogue you hear.

A

B

C

D

E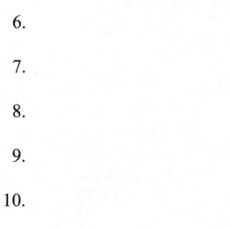

F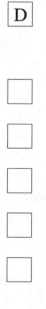

例如： 男： Nǐ xǐhuan shénme yùndòng?
你 喜欢 什么 运动?
Example: What sport do you like?

女： Wǒ zuì xǐhuan tī zúqiú.
我 最 喜欢 踢 足球。
My favorite sport is playing football.

D

6. ☐

7. ☐

8. ☐

9. ☐

10. ☐

第三部分　Part Ⅲ

第 11—15 题：听对话，选择正确答案
Questions 11-15: Listen to the dialogues and answer the questions.

Xiǎo Wáng, zhèli yǒu jǐ ge bēizi,　nǎge shì nǐ de?
例如：　男：小　　王，这里有几个杯子，哪个是你的?
Example:　　Xiao Wang, here are some cups, which of these cups is yours?

Zuǒbian nàge hóngsè de shì wǒ de.
女：左边　　那个红色 的是 我的。
The red one on the left is mine.

Xiǎo Wáng de bēizi shì shénme yánsè de?
问：小　　王 的杯子是 什么 颜色 的?
Question: What color is Xiao Wang's cup?

	hóngsè	hēisè	báisè
	A　红色 red　√	B　黑色 black	C　白色 white

	tā de tóngxué	tā de nánpéngyou	tā de yí ge péngyou
11.	A　她 的 同学	B　她 的 男朋友	C　她 的 一个 朋友

	èrshíwǔ suì	èrshí'èr suì	èrshíbā suì
12.	A　25　岁	B　22　岁	C　28　岁

	xīguā tài guì	píngguǒ hěn duō	píngguǒ hǎochī
13.	A　西瓜 太贵	B　苹果　很 多	C　苹果　好吃

14.

nǚ de hé nán de yíyàng dà
A 女 的和 男 的 一样 大

nǚ de bǐ nán de dà
B 女 的比 男 的大

nán de bǐ nǚ de dà
C 男 的比 女的 大

	bìng le	méi shuì jiào	méi xiūxi hǎo
15.	A　病 了	B　没 睡 觉	C　没 休息 好

二、阅读 Reading

第一部分 Part I

第 16–20 题：看图片，选择与句子内容一致的图片
Questions 16-20: Choose the right picture for each sentence.

A

B

C

D

E

F

Měi ge xīngqīliù, wǒ dōu qù dǎ lánqiú.
例如：每 个 星期六，我 都 去 打 篮球。　　　　D
Example: I go to play basketball every Saturday.

Zuótiān wǒ hé péngyoumen yìqǐ qù hē kāfēi le.
16. 昨天 我 和 朋友们 一起 去 喝 咖啡 了。

Zuǒbian nàge nǚháizi bǐ yòubian de nàge dà liǎng suì.
17. 左边 那个 女孩子 比 右边 的 那个 大 两 岁。

Zhèngzài dǎ diànhuà de nàge rén kěnéng shì xīn lái de Wáng lǎoshī.
18. 正在 打 电话 的 那个人 可能 是 新 来 的 王 老师。

Duō chī shuǐguǒ duì shēntǐ hǎo, nǐ yě lái yí ge ba.
19. 多 吃 水果 对 身体 好，你 也 来 一 个 吧。

Zhè jiàn yīfu kuài, bǐ nà jiàn piányi kuài.
20. 这 件 衣服 300 块，比 那件 便宜 50 块。

100

第二部分　Part Ⅱ

第 21–25 题：选择合适的词语填空

Questions 21-25: Choose the proper words to fill in the brackets.

　　　chànggē　　piányi　　　shuōhuà　　kěnéng　　　guì　　　bǐ
A 唱歌　　B 便宜　　C 说话　　D 可能　　E 贵　　F 比

　　　Zhèr　de yángròu hěn hǎochī,　dànshì yě hěn
例如：这儿的 羊肉 很 好吃，但是 也 很 （ E ）。

Example: The mutton here is delicious, but it is also expensive.

　　Zuótiān　　dù,　jīntiān　　　zuótiān　rè yìdiǎnr.
21. 昨天 25 度，今天（　　　）昨天 热 一点儿。

　　Měi ge zhōumò,　wǒ dōu xǐhuan hé péngyoumen yìqǐ　qù
22. 每 个 周末，我 都 喜欢 和 朋友们 一起 去（　　　）。

　　Nǐ rènshi qiánbian　　　de nà liǎng ge rén ma?
23. 你 认识 前边（　　　）的 那 两 个 人 吗?

　　Tiānqì bú tài hǎo, wǒ juéde　　　yào xià yǔ le.
24. 天气 不太 好，我 觉得（　　　）要 下雨了。

　　Píngguǒ bǐ xīguā　　　wǒ xiǎng duō mǎi diǎnr píngguǒ.
25. 苹果 比 西瓜（　　　），我 想 多 买 点儿 苹果。

第三部分　Part Ⅲ

第 26–30 题：判断下列句子的意思是否正确

Questions 26-30: Decide whether the inferences are true or false.

　　Xiànzài shì　diǎn　fēn, tāmen yǐjīng yóule　　fēnzhōng le.
例如：现在 是 11 点 30 分，他们 已经 游了 20 分钟 了。

Example: It's 11:30 now. They have been swimming for 20 minutes.

　　Tāmen　　diǎn　fēn kāishǐ yóuyǒng.
★ 他们 11 点 10 分 开始 游泳。　　　　（ √ ）

They started swimming at 11:10.

Wǒ huì tiàowǔ, dàn tiào de bù zěnmeyàng.
我 会 跳舞，但 跳 得 不 怎么样。

I can dance, but not well.

Wǒ tiào de fēicháng hǎo.
★ 我 跳 得 非常 好。   （ × ）

I dance pretty well.

Zuǒbian kàn bàozhǐ de zhège rén shì wǒ jiějie, yòubian xiězì de nàge rén shì wǒ gēge.
26. 左边 看 报纸 的 这个人 是我姐姐，右边 写字 的 那个人 是我 哥哥。

Tāmen jiā kěnéng yǒu sān ge háizi.
★ 他们 家 可能 有 三 个 孩子。   （   ）

Nǚ'ér ràng wǒ gàosu nǐ, tā jīntiān wǎnshang hé péngyoumen yìqǐ qù chànggē, bù huílai chī
27. 女儿 让 我 告诉你，她 今天   晚上 和 朋友们 一起去 唱歌，不 回来 吃

wǎnfàn le.
晚饭 了。

Nǚ'ér jīntiān zài jiā chī wǎnfàn.
★ 女儿 今天 在家吃 晚饭。   （   ）

Zhè shì érzi sòng gěi wǒ de shǒubiǎo, yīnwèi míngtiān shì wǒ de shēngrì.
28. 这 是儿子送 给我的 手表， 因为 明天 是我的 生日。

Tā sòng gěi érzi yí kuài shǒubiǎo.
★ 她送 给儿子一块 手表。   （   ）

Nǐ wèn de zhège wèntí hěn hǎo, wǒ yào xiǎng yi xiǎng, míngtiān zài gàosu nǐ, kěyǐ ma?
29. 你问 的 这个问题很 好，我 要 想 一想， 明天 再告诉你，可以 吗?

Tā xiànzài méiyǒu huídá zhège wèntí.
★ 他现在 没有 回答 这个 问题。   （   ）

Gēge de Hànyǔ bǐ wǒ hǎo, jiějie de Hànyǔ yě bǐ wǒ hǎo.
30. 哥哥的 汉语比我 好，姐姐的 汉语 也比我 好。

Wǒ de Hànyǔ méiyǒu gēge hé jiějie nàme hǎo.
★ 我 的 汉语 没有 哥哥和姐姐那么 好。   （   ）

第四部分　Part IV

第 31–35 题：选择合适的问答

Questions 31-35: Match the sentences to make dialogues.

Zhè liǎng tiān zěnme méi kànjiàn Wáng lǎoshī?

A　这 两 天 怎么 没 看见 王 老师？

Wǒ gēge bǐ wǒ jiějie dà sān suì.

B　我 哥哥 比 我 姐姐 大 三 岁。

Jiāli hái yǒu ne, lái diǎnr shuǐguǒ ba.

C　家里 还 有 呢，来 点儿 水果 吧。

Zhè shì wǒ bàba sòng gěi wǒ de, zuótiān shì wǒ de shēngrì.

D　这 是 我 爸爸 送 给 我 的，昨天 是 我 的 生日。

Tā zài nǎr ne? Nǐ kànjiàn tā le ma?

E　他 在 哪儿 呢？ 你 看见 他 了 吗？

Wǒ juéde gōnggòngqìchē méiyǒu zìxíngchē kuài. Yīnwèi lùshang chē tài duō le.

F　我 觉得 公共汽车 没有 自行车 快。因为 路上 车 太 多 了。

Tā hái zài jiàoshì li xuéxí.

例如：他 还 在 教室 里 学习。　　　　　　　　　　E

Example: He is still studying in the classroom.

Jīntiān de jīdàn bǐ zuótiān de piányi yìxiē, nín lái diǎnr ba.

31. 今天 的 鸡蛋 比 昨天 的 便宜 一些，您 来 点儿 吧。　　□

Nǐ gēgē dà háishi nǐ jiějie dà?

32. 你 哥哥 大 还是 你 姐姐 大？　　□

Zhè shì nǐ de zìxíngchē ma? Zhēn piàoliang.

33. 这 是 你 的 自行车 吗？ 真 漂亮。　　□

Nǐ měi tiān zuò gōnggòngqìchē qù xuéxiào ma?

34. 你 每 天 坐 公共汽车 去 学校 吗？　　□

Tā kěnéng qù lǚyóu le.

35. 她 可能 去 旅游 了。　　□

三、语音 Pronunciation 　　　🔘 *11-2*

第一部分　Part I

第 1 题：听录音，注意句重音和句末的升降调

Question 1: Listen to the recording and pay attention to the stress in each sentence and the intonation at the end of each sentence.

Míngtiān nǐ qù bu qù yóuyǒng?
（1）明天　你去不去 游泳？ ↘

Nǐ xiǎng bu xiǎng hé péngyoumen yìqǐ qù hē chá?
（2）你 想 不 想 和　朋友们　一起去 喝 茶？ ↘

Nǐ zhīdào bu zhīdào zhège Hànzì zěnme xiě?
（3）你 知道 不知道　这个 汉字 怎么 写？ ↘

Nǐ yǒu méiyou yìbǎi kuài qián?
（4）你有　没有　一百 块　钱？ ↘

第二部分　Part II

第 2 题：听录音并跟读下列句子，注意句重音和句末的升降调

Question 2: Listen to the recording and repeat the following sentences, paying attention to the stress in each sentence and the intonation at the end of each sentence.

Nǐ rènshi bu rènshi nàge chuān hóng yīfu de rén?
（1）你 认识 不认识那个 穿　红 衣服 的 人？ ↘

Nǐ měi tiān zǎoshang hē bu hē niúnǎi?
（2）你 每 天　早上　喝不喝牛奶？ ↘

Qiánbian shuōhuà de nàge rén shì bu shì nǐ de Hànyǔ lǎoshī?
（3）前边　说话　的那个人是不是你的 汉语 老师？ ↘

Nǐ kàn bu kàn zhè běn xīn mǎi lái de shū?
（4）你看 不看 这 本 新 买来的书？ ↘

四、汉字　Characters

第一部分　Part I

第 1–2 题：看汉字，按偏旁归类

Questions1-2: Group the characters with the same radical.

A 冷　　　B 病　　　C 凉　　　D 决

E 瘦　　　F 冰　　　G 疯　　　H 疼

1. 疒：＿＿＿＿＿＿＿＿＿＿＿＿＿＿＿＿＿＿＿＿

2. 冫：＿＿＿＿＿＿＿＿＿＿＿＿＿＿＿＿＿＿＿＿

第二部分　Part II

第 3 题：看生词和图片，猜出词义

Question 3: Guess the meaning of each word based on the new words and pictures.

水果店　　酒店　　商店　　书店

＿＿＿　　＿＿＿　　＿＿＿　　＿＿＿

A

B

C

D

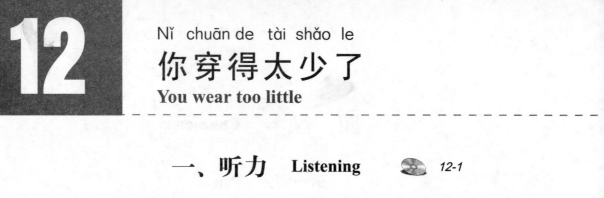

一、听力 Listening　🔘 *12-1*

第一部分　Part I

第1–5题：听句子，判断对错

Questions 1-5: Decide whether the pictures are right or wrong based on the sentences you hear.

例如： Example:		Wǒmen jiā yǒu sān ge rén. 我们　家 有 三 个 人。 There are three people in my family. ✓
		Wǒ měi tiān zuò gōnggòngqìchē 我 每 天 坐　公共汽车 qù shàng bān. 去 上　 班。 I go to work by bus every day. ✗
1.		
2.		
3.		
4.		
5.		

106

第二部分　Part Ⅱ

第6-10题：听对话，选择与对话内容一致的图片
Questions 6-10: Choose the right picture for each dialogue you hear.

A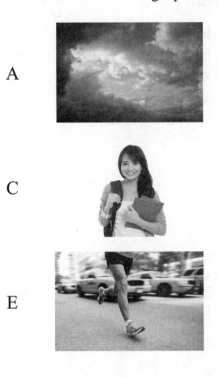

B

C

D

E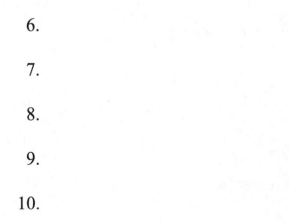

F

Nǐ xǐhuan shénme yùndòng?
例如：　男：你 喜欢 什么 运动？
Example:　　What sport do you like?

Wǒ zuì xǐhuan tī zúqiú.
　　女：我 最 喜欢 踢 足球。　　　　　　　　[D]
　　　　My favorite sport is playing football.

6. ☐

7. ☐

8. ☐

9. ☐

10. ☐

第三部分　Part Ⅲ

第 11–15 题：听对话，选择正确答案

Questions 11-15: Listen to the dialogues and answer the questions.

Xiǎo Wáng, zhèli yǒu jǐ ge bēizi,　nǎge shì nǐ de?

例如：　男：小　王，这里 有 几 个 杯子，哪个 是 你 的?

Example:　　　Xiao Wang, here are some cups, which of these cups is yours?

Zuǒbian nàge hóngsè de shì wǒ de.

女：左边　那个 红色 的 是 我 的。

The red one on the left is mine.

Xiǎo Wáng de bēizi shì shénme yánsè de?

问：小　王 的 杯子 是 什么 颜色 的?

Question: What color is Xiao Wang's cup?

	hóngsè		hēisè		báisè
A	红色 red	√	B 黑色 black		C 白色 white

	xuéxí hǎo	tài lèi le	duì shēntǐ hǎo
11. A	学习 好	B 太累了	C 对 身体 好

	hěn lěng	bú tài lěng	hěn rè
12. A	很 冷	B 不太 冷	C 很 热

	nán de	nán de de qīzi	nǚ de
13. A	男 的	B 男 的 的 妻子	C 女 的

	lí gōngsī yuǎn	gōngzuò tài lèi	lí jiā yǒudiǎnr yuǎn
14. A	离 公司 远	B 工作　太累	C 离 家 有点儿 远

	bú tài hǎo	fēicháng hǎo	hái kěyǐ
15. A	不太 好	B 非常　好	C 还 可以

二、阅读　Reading

第一部分　Part I

第 16–20 题：看图片，选择与句子内容一致的图片
Questions 16-20: Choose the right picture for each sentence.

A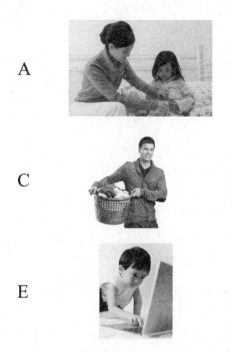

B

C

D

E

F

Měi ge xīngqīliù, wǒ dōu qù dǎ lánqiú.
例如：每 个 星期六，我 都 去 打 篮球。　　　　　　　D
Example: I go to play basketball every Saturday.

Bié lí diànnǎo tài jìn, duì yǎnjing bù hǎo.
16. 别 离 电脑 太 近，对 眼睛 不 好。

Qīzi zhè jǐ tiān hěn máng, suǒyǐ wǒ xǐ yīfu.
17. 妻子 这 几 天 很 忙，所以 我 洗 衣服。

Jīntiān língxià shí dù, bǐ zuótiān lěng duō le. Nǐ duō chuān diǎnr yīfu ba.
18. 今天 零下 十 度，比 昨天 冷 多 了。你 多 穿 点儿 衣服 吧。

Nǐ chànggē chàng de tài hǎo le, zài lái yí ge ba.
19. 你 唱歌 唱 得 太 好 了，再 来 一 个 吧。

Jīntiān bǐ zuótiān qǐ de zǎo, suǒyǐ wǒ zǒu lù qù shàng bān.
20. 今天 比 昨天 起 得 早，所以 我 走 路 去 上 班。

第二部分　Part II

第 21-25 题：选择合适的词语填空

Questions 21-25: Choose the proper words to fill in the brackets.

chuān　　　jìn　　　jìn　　　ràng　　　guì　　　xīwàng

A 穿　　　B 进　　C 近　　D 让　　E 贵　　F 希望

Zhèr　de yángròu hěn hǎochī,　dànshì yě hěn
例如：这儿的 羊肉 很 好吃，但是 也 很 （ E ）。
Example: The mutton here is delicious, but it is also expensive.

Tā de jiā bǐ wǒ de jiā lí gōngsī　　　　　yìdiǎnr.
21. 他的家比我的家离公司（　　　）一点儿。

Wǒ　　　　zhǎo yí ge bǐ xiànzài qián duō yìdiǎnr de gōngzuò.
22. 我（　　　）找 一个比现在 钱 多一点儿的 工作。

Wàimian tài lěng le, kuài qǐng　　　　fángjiān li lái ba.
23. 外面 太冷了，快 请（　　　）房间里来吧。

Míngtiān yǒu yí ge xīnnián wǎnhuì, wǒ xiǎng　　　　de piàoliang yìdiǎnr.
24. 明天 有一个新年 晚会，我 想（　　　）得 漂亮 一点儿。

Dàwèi shēng bìng le, tā　　　　wǒ gàosu Wáng lǎoshī.
25. 大卫 生 病 了，他（　　　）我 告诉 王 老师。

第三部分　Part III

第 26-30 题：判断下列句子的意思是否正确

Questions 26-30: Decide whether the inferences are true or false.

Xiànzài shì　diǎn　fēn, tāmen yǐjīng yóule　fēnzhōng le.
例如：现在 是 11 点 30 分，他们 已经 游了 20 分钟 了。
Example: It's 11:30 now. They have been swimming for 20 minutes.

Tāmen　diǎn　fēn kāishǐ yóuyǒng.
★ 他们 11 点 10 分 开始 游泳。　　　　　　（ √ ）
They started swimming at 11:10.

Wǒ huì tiàowǔ, dàn tiào de bù zěnmeyàng.
我 会 跳舞，但 跳 得 不 怎么样。

I can dance, but not well.

Wǒ tiào de fēicháng hǎo.
★ 我 跳 得 非常 好。 （ × ）

I dance pretty well.

Jīnnián méiyǒu qùnián lěng, Běijīng dào xiànzài hái méi xià xuě ne. Qùnián zhège shíhou yǐjīng xià xuě le.
26. 今年 没有 去年 冷， 北京 到 现在 还没 下 雪 呢。去年 这个 时候 已经 下 雪 了。

Běijīng jīnnián bǐ qùnián lěng.
★ 北京 今年 比 去年 冷。 （ ）

Nǐ shàng ge yuè méi zěnme yùndòng ba? Míngtiān hé wǒ yìqǐ qù tī zúqiú zěnmeyàng? Dǎ lánqiú
27. 你 上 个 月 没 怎么 运动 吧？ 明天 和我 一起 去 踢 足球 怎么样？ 打 篮球

yě kěyǐ.
也 可以。

Tāmen kěnéng míngtiān yìqǐ yùndòng.
★ 他们 可能 明天 一起 运动。 （ ）

Qīzi měi tiān shuì jiào qián dōu yào hē yì bēi niúnǎi, tā shuō zhèyàng kěyǐ shuì de hǎo yìxiē.
28. 妻子 每 天 睡 觉 前 都 要 喝 一 杯 牛奶，她 说 这样 可以 睡 得 好 一些。

Qīzi qǐ chuáng hòu yào hē niúnǎi.
★ 妻子 起 床 后 要 喝 牛奶。 （ ）

Xièxie nín, méiyǒu nín de bāngzhù, zhè jiàn shìqing kěnéng dào jīntiān wǎnshang yě zuò bu wán.
29. 谢谢 您， 没有 您 的 帮助， 这 件 事情 可能 到 今天 晚上 也 做 不 完。

Shìqing yǐjīng zuòwán le.
★ 事情 已经 做完 了。 （ ）

Màn yìdiǎnr, nǐ zǒu de tài kuài le, wǒmen qù nàge cháguǎn hē bēi chá hǎo bu hǎo?
30. 慢 一点儿，你 走得 太 快 了， 我们 去 那个 茶馆 喝 杯 茶 好 不 好？

Tā xiǎng qù hē chá.
★ 他 想 去 喝茶。 （ ）

第四部分　Part Ⅳ

第 31–35 题：选择合适的问答

Questions 31-35: Match the sentences to make dialogues.

Lùshang chē tài duō, zuò gōnggòngqìchē hái méiyǒu zǒu lù kuài ne.

A 路上 车 太 多，坐 公共汽车 还 没有 走路 快 呢。

Shàngge xīngqī zěnme méi kàndào nǐ?

B 上个 星期 怎么 没 看到 你?

Tiānqì tài lěng le, dōu língxià shí dù le.

C 天气 太 冷 了，都 零下 十度 了。

Tā bǐ wǒ yóu de kuài, dànshì méiyǒu Dàwèi yóu de kuài.

D 他比我 游 得 快，但是 没有 大卫 游 得 快。

Tā zài nǎr ne? Nǐ kànjiàn tā le ma?

E 他在 哪儿 呢? 你 看见 他了吗?

Zhù de yuǎn zhēn de hěn lèi.

F 住 得 远 真 的很 累。

Tā hái zài jiàoshì li xuéxí.

例如：他 还 在 教室 里学习。　　　　　　　　　　 E

Example: He is still studying in the classroom.

Nǐ jīntiān zěnme chuān de zhème duō?

31. 你 今天 怎么 穿 得 这么 多?　　　　　　　□

Wǒ měi tiān yào zuò yí ge duō xiǎoshí de gōnggòngqìchē qù shàng bān.

32. 我 每 天 要 坐一个多 小时 的 公共汽车 去 上 班。　□

Xiǎo Wáng měi tiān dōu yóuyǒng, tā yóu de kuài ma?

33. 小 王 每天 都 游泳，他 游 得 快 吗?　　　　□

Nǐ měi tiān zuò gōnggòngqìchē qù xuéxiào ma?

34. 你每 天 坐 公共汽车 去 学校 吗?　　　　□

Wǒ hé qīzi yìqǐ qù Běijīng lǚyóu le jǐ tiān.

35. 我 和 妻子一起 去 北京 旅游 了几 天。　　　□

三、语音 Pronunciation 12-2

第一部分 Part I

第1题：听录音，注意句重音和句末的升降调

Question 1: Listen to the recording and pay attention to the stress in each sentence and the intonation at the end of each sentence.

Nǐ qù shāngdiàn xiǎng mǎi niúnǎi háishi mǎi jīdàn?
（1）你 去 商店 想 买 牛奶 还是 买 鸡蛋? ↘

Nǐ xǐhuan báisè háishi hēisè?
（2）你 喜欢 白色 还是 黑色? ↘

Tāmen jīntiān qù yùndòng háishi míngtiān qù yùndòng?
（3）他们 今天 去 运动 还是 明天 去 运动? ↘

Xiànzài shì sān diǎn háishi sì diǎn?
（4）现在 是 三 点 还是 四点? ↘

第二部分 Part II

第2题：听录音并跟读下列句子，注意句重音和句末的升降调

Question 2: Listen to the recording and repeat the following sentences, paying attention to the stress in each sentence and the intonation at the end of each sentence.

Zhè jiàn yīfu shì jīntiān mǎi de háishi zuótiān mǎi de?
（1）这 件衣服是 今天 买 的还是 昨天 买 的? ↘

Nǐ xiǎng hē chá háishi kāfēi?
（2）你 想 喝茶 还是 咖啡? ↘

Qiánbian shuōhuà de nàge rén shì xiǎo Wáng háishi Dàwèi?
（3）前边 说话 的那个人是 小 王 还是 大卫? ↘

Jīntiān shì xīngqīsān háishi xīngqīsì?
（4）今天 是 星期三 还是 星期四? ↘

四、汉字　Characters

第一部分　Part Ⅰ

第 1–2 题：看汉字，按偏旁归类

Questions1-2: Group the characters with the same radical.

A 步　　　　B 肉　　　　C 内　　　　D 肯

E 同　　　　F 些　　　　G 此　　　　H 网

1. 止：_____

2. 冂：_____

第二部分　Part Ⅱ

第 3 题：看生词和图片，猜出词义

Question 3: Guess the meaning of each word based on the new words and pictures.

公园　　公司　　公用电话　　公共汽车

A

B

C

D

13

Mén kāi zhe ne
门开着呢
The door is open

一、听力　Listening　🔘 *13-1*

第一部分　Part Ⅰ

第 1-5 题：听句子，判断对错

Questions 1-5: Decide whether the pictures are right or wrong based on the sentences you hear.

例如： Example:		Wǒmen jiā yǒu sān ge rén. 我们　家 有 三 个 人。 There are three people in my family.	√
		Wǒ měi tiān zuò gōnggòngqìchē 我 每 天 坐　公共汽车 qù shàng bān. 去 上　班。 I go to work by bus every day.	✕
1.			
2.			
3.			
4.			
5.			

第二部分　Part II

第6–10题：听对话，选择与对话内容一致的图片
Questions 6-10: Choose the right picture for each dialogue you hear.

A

B

C

D

E

F

Nǐ xǐhuan shénme yùndòng?
例如：　男：你 喜欢 什么　运动？
Example:　What sport do you like?

Wǒ zuì xǐhuan tī zúqiú.
女：我 最 喜欢 踢 足球。
My favorite sport is playing football.

D

6.　□

7.　□

8.　□

9.　□

10.　□

第三部分　Part III

第 11–15 题：听对话，选择正确答案
Questions 11-15: Listen to the dialogues and answer the questions.

Xiǎo Wáng, zhèli yǒu jǐ ge bēizi, nǎge shì nǐ de?
例如：　男：小　王，这里有几个杯子，哪个是你的？
Example:　　Xiao Wang, here are some cups, which of these cups is yours?

Zuǒbian nàge hóngsè de shì wǒ de.
女：左边　那个红色的是我的。
The red one on the left is mine.

Xiǎo Wáng de bēizi shì shénme yánsè de?
问：小　王的杯子是什么颜色的？
Question: What color is Xiao Wang's cup?

	hóngsè		hēisè		báisè
A	红色 red	√	B 黑色 black	C	白色 white

	zài gōngsī	zài jiāli	zài wàimian
11.	A 在 公司	B 在 家里	C 在 外面

	shì	bú shì	bù zhīdào
12.	A 是	B 不是	C 不 知道

	shū tài dà	shū tài duō	shū tài guì
13.	A 书 太 大	B 书 太 多	C 书 太 贵

	xǐhuan hóngsè	xǐhuan yīfu	biéren shuō hǎokàn
14.	A 喜欢 红色	B 喜欢 衣服	C 别人 说 好看

	nán de rènshi	nǚ de rènshi	nán de hé nǚ de dōu bú rènshi
15.	A 男 的 认识	B 女 的 认识	C 男 的 和 女 的 都 不 认识

二、阅读 Reading

第一部分 Part I

第 16–20 题：看图片，选择与句子内容一致的图片

Questions 16-20: Choose the right picture for each sentence.

A

B

C

D

E

F

Měi ge xīngqīliù, wǒ dōu qù dǎ lánqiú.

例如：每 个 星期六，我 都 去 打 篮球。 D

Example: I go to play basketball every Saturday.

Wǎnshang shí diǎn le, kāfēidiàn hái kāizhe mén ne.

16. 晚上 十 点 了，咖啡店 还 开着 门 呢。

Lǎoshī měi tiān dōu zuòzhe gěi xuéshengmen shàng kè.

17. 老师 每 天 都 坐着 给 学生们 上 课。

Māma xiàozhe shuō "jīntiān gěi nǐmen zuòle hěn duō hǎochī de dōngxi".

18. 妈妈 笑着 说："今天 给 你们 做了 很 多 好吃 的 东西"。

Xuéxiào lí wǒ jiā hěn jìn, wǒ měi tiān zǒuzhe qù shàng kè.

19. 学校 离我家很近，我 每 天 走着 去 上 课。

Názhe zhème duō dōngxi, wǒmen háishi zuò chūzūchē huí jiā ba.

20. 拿着 这么 多 东西，我们 还是 坐 出租车 回家吧。

第二部分　Part Ⅱ

第 21–25 题：选择合适的词语填空

Questions 21-25: Choose the proper words to fill in the brackets.

| ná | xiào | zhǎng | wǎng | guì | yìzhí |
| A 拿 | B 笑 | C 长 | D 往 | E 贵 | F 一直 |

Zhèr de yángròu hěn hǎochī, dànshì yě hěn

例如：这儿的 羊肉 很 好吃，但是 也 很 （ E ）。

Example: The mutton here is delicious, but it is also expensive.

Mèimei shì yí ge fēicháng ài   de nǚháir.

21. 妹妹 是 一个 非常 爱（　　）的 女孩儿。

Nǐ shǒuli   zhe de shì shénme dōngxi, wǒ néng kànkan ma?

22. 你 手里（　　）着 的 是 什么 东西，我 能 看看 吗?

Cóng zhèr   yòu zǒu, guò yí ge lùkǒu, jiù shì Běijīng Yīyuàn.

23. 从 这儿（　　）右 走，过 一个 路口，就是 北京 医院。

Nǐmen bān yǒu méiyǒu yí ge   zhe dà yǎnjing、ài chuān hóng yīfu de xuésheng?

24. 你们 班 有 没有 一个 （　　）着 大 眼睛、爱 穿 红 衣服 的 学生?

Cóng zhège lùkǒu   zǒu, jiù néng kàndào nǐmen xuéxiào le.

25. 从 这个 路口 （　　）走，就 能 看到 你们 学校 了。

第三部分　Part Ⅲ

第 26–30 题：判断下列句子的意思是否正确

Questions 26-30: Decide whether the inferences are true or false.

Xiànzài shì   diǎn   fēn, tāmen yǐjīng yóule   fēnzhōng le.

例如：现在 是 11 点 30 分，他们 已经 游了 20 分钟 了。

Example: It's 11:30 now. They have been swimming for 20 minutes.

Tāmen   diǎn   fēn kāishǐ yóuyǒng.

★ 他们 11 点 10 分 开始 游泳。　　　　　　（ √ ）

They started swimming at 11:10.

Wǒ huì tiàowǔ, dàn tiào de bù zěnmeyàng.
我 会 跳舞，但 跳 得 不 怎么样。

I can dance, but not well.

　　　Wǒ tiào de fēicháng hǎo.
★ 我 跳 得 非常 好。　　　　　　　　　　　（ × ）

I dance pretty well.

Dàwèi bú shì zhǎodào xīn gōngzuò le ma? Zěnme hái tiāntiān zài jiā wánr diànnǎo?
26. 大卫 不是 找到 新 工作 了吗？怎么 还 天天 在家 玩儿 电脑？

　　　Dàwèi měi tiān gōngzuò.
★ 大卫 每 天 工作。　　　　　　　　　　　（　　）

Wǒ de yí ge péngyou zhèngzài zhǎo fángzi, tā xīwàng zhù de lí gōngsī jìn yìxiē.
27. 我 的一个 朋友 正在 找 房子，他 希望 住 得离 公司 近 一些。

　　Tā jiā lí gōngsī hěn yuǎn.
★ 他家离 公司 很 远。　　　　　　　　　　（　　）

Māma gàosu wǒ shuō, bú yào kāizhe chē tīng yīnyuè.
28. 妈妈 告诉 我 说，不要 开着 车 听 音乐。

　　Kāizhe chē tīng yīnyuè bù hǎo.
★ 开着 车 听 音乐 不好。　　　　　　　　　（　　）

Cóng wǒ jiā dào Běijīng, zuò huǒchē jiù ge xiǎoshí, bǐ zuò fēijī piányi duō le.　Suǒyǐ wǒ
29. 从 我家到 北京，坐 火车 就5个 小时，比坐 飞机 便宜 多了。所以 我

míngtiān zhǔnbèi zuò huǒchē qù Běijīng.
明天 准备 坐 火车 去 北京。

　　Wǒ zhèngzài zuò huǒchē qù Běijīng.
★ 我 正在 坐 火车 去 北京。　　　　　　　（　　）

Lǐ gē, nǐ shǒuli názhe de shì diànyǐngpiào ma? Wǒ yě xiǎng gēn nǐ yìqǐ qù kàn diànyǐng.
30. 李哥，你 手里 拿着 的是 电影票 吗？我 也 想 跟你一起去看 电影。

　　Lǐ gē kěnéng yǒu diànyǐngpiào.
★ 李哥 可能 有 电影票。　　　　　　　　　（　　）

第四部分　Part IV

第 31-35 题：选择合适的问答

Questions 31-35: Match the sentences to make dialogues.

Shì gěi wǒ māma mǎi de xīn yīfu, míngtiān shì tā de shēngrì.
A 是 给我 妈妈 买 的 新衣服，明天　是 她的 生日。

Tā kāizhe chē chūqu le. Xiàwǔ kěnéng huílai.
B 他 开着 车 出去 了。下午　可能　回来。

Dàwèi yě xiǎng gēn wǒmen yìqǐ qù.
C 大卫 也 想　跟 我们 一起 去。

Bú shì liǎng nián, shì yì nián bàn.
D 不是 两　年，是 一 年 半。

Tā zài nǎr ne? Nǐ kànjiàn tā le ma?
E 他 在 哪儿 呢？你 看见 他了 吗？

Jiàoshì qiánmian hái yǒu yí wèi lǎoshī, tā zhèngzài gěi xuéshengmen shàng kè ne.
F 教室　前面　还 有 一 位 老师，他 正在　给　学生们　　上　课 呢。

Tā hái zài jiàoshì li xuéxí.
例如：他 还 在 教室 里 学习。　　　　　　　　　　　E

Example: He is still studying in the classroom.

Wǒ kànjiàn zài jiàoshì li zuòzhe hěn duō xuésheng.
31. 我　看见 在 教室 里 坐着 很 多　学生。　　　　　□

Nǐ shǒu li názhe shénme?
32. 你 手 里 拿着 什么？　　　　　　　　　　　　　□

Zhāng xiānsheng ne? Wǒ jīntiān zěnme méi kànjiàn tā?
33. 张　　先生　呢？我 今天　怎么 没 看见 他？　　□

Xiàwǔ sān diǎn, nǐ zài xuéxiào ménkǒu děngzhe wǒ. Wǒmen yìqǐ qù dǎ lánqiú.
34. 下午 三 点，你 在 学校　门口　　等着 我。我们 一起 去 打 篮球。　□

Nǐ bú shì xuéguo liǎng nián Hànyǔ ma?
35. 你 不是 学过 两　年 汉语 吗？　　　　　　　　□

三、语音 Pronunciation *13-2*

第一部分 Part I

第 1 题：听录音，注意句末的升降调

Question 1: Listen to the recording and pay attention to the intonation at the end of each sentence.

Lǎoshī, xià kè ba.
（1）老师，下课吧。↘

Zhōumò dàjiā hǎohāor xiūxi ba.
（2）周末 大家 好好儿 休息 吧。↘

Qī diǎn bàn le, kuài qǐ chuáng ba.
（3）七 点 半 了，快 起 床 吧。↘

Bié shuōhuà le, kuàidiǎnr chī fàn.
（4）别 说话 了，快点儿 吃 饭。↘

第二部分 Part II

第 2 题：听录音并跟读下列句子，注意句末的升降调

Question 2: Listen to the recording and repeat the following sentences, paying attention to the intonation at the end of each sentence.

Tiānqì zhēn hǎo, yìqǐ qù yùndòng yùndòng ba.
（1）天气 真 好，一起 去 运动 运动 吧。↘

Xià yǔ le, kuài huí jiā ba.
（2）下 雨 了，快 回 家 吧。↘

Lǎoshī lái le, bié shuōhuà le.
（3）老师 来 了，别 说话 了。↘

Qǐng jìn fángjiān li xiūxi yíxiàr ba.
（4）请 进 房间 里 休息 一下儿 吧。↘

四、汉字　**Characters**

第一部分　Part Ⅰ

第 1–2 题：看汉字，按偏旁归类

Questions1-2: Group the characters with the same radical.

A 新　　　B 颜　　　C 所　　　D 额

E 斧　　　F 须　　　G 忻　　　H 项

1. 斤：_____

2. 页：_____

第二部分　Part Ⅱ

第 3 题：看生词和图片，猜出词义

Question 3: Guess the meaning of each word based on the new words and pictures.

钢笔　　毛笔　　铅笔　　画笔

_____　_____　_____　_____

A

B

C

D

14

你看过这个电影吗

Have you seen that movie

一、听力　Listening　💿 *14-1*

第一部分　Part Ⅰ

第 1–5 题：听句子，判断对错

Questions 1-5: Decide whether the pictures are right or wrong based on the sentences you hear.

例如： Example:		Wǒmen jiā yǒu sān ge rén. 我们　家　有　三　个　人。 There are three people in my family.　✓
		Wǒ měi tiān zuò gōnggòngqìchē 我　每　天　坐　公共汽车 qù shàng bān. 去　上　班。 I go to work by bus every day.　✕
1.		
2.		
3.		
4.		
5.		

第二部分　Part Ⅱ

第 6-10 题：听对话，选择与对话内容一致的图片
Questions 6-10: Choose the right picture for each dialogue you hear.

A

B

C

D

E

F

　　　　　　　 Nǐ xǐhuan shénme yùndòng?
例如：　男：你 喜欢 什么 运动？
Example:　　What sport do you like?

　　　　　　　 Wǒ zuì xǐhuan tī zúqiú.
　　　　女：我 最 喜欢 踢 足球。　　　　　　　 D

　　　　　　　My favorite sport is playing football.

6. ☐

7. ☐

8. ☐

9. ☐

10. ☐

第三部分 Part III

第 11–15 题：听对话，选择正确答案

Questions 11-15: Listen to the dialogues and answer the questions.

Xiǎo Wáng, zhèli yǒu jǐ ge bēizi, nǎge shì nǐ de?
例如： 男：小 王，这里 有 几 个 杯子，哪个 是 你 的？
Example: Xiao Wang, here are some cups, which of these cups is yours?

Zuǒbian nàge hóngsè de shì wǒ de.
女：左边 那个 红色 的 是 我 的。
The red one on the left is mine.

Xiǎo Wáng de bēizi shì shénme yánsè de?
问：小 王 的 杯子 是 什么 颜色 的？
Question: What color is Xiao Wang's cup?

	hóngsè		hēisè		báisè
A	红色 red	√	B 黑色 black	C	白色 white

	yí cì		liǎng cì		sān cì
11.	A 一次		B 两 次	C	三 次

12.
A dōngxi hǎo, piányi 东西 好，便宜
B dōngxi bù hǎo, piányi 东西 不好，便宜
C dōngxi hǎo, bù piányi 东西 好，不便宜

13.
A tài máng 太 忙
B tài lèi 太 累
C bù xǐhuan pǎo bù 不 喜欢 跑 步

14.
A qiántiān de 前天 的
B jīntiān de 今天 的
C zuótiān de 昨天 的

15.
A bù xiǎng ràng nǚ de mǎi 不 想 让 女的买
B xiǎng ràng nǚ de mǎi 想 让 女的买
C liǎng bǎi duō kuài tài guì le 两 百 多 块 太贵了

二、阅读 Reading

第一部分 Part I

第 16–20 题：看图片，选择与句子内容一致的图片

Questions 16-20: Choose the right picture for each sentence.

A

B

C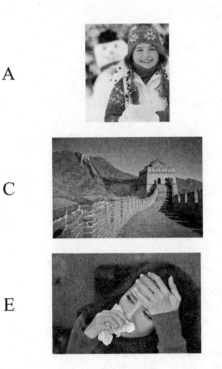

D

E

F

Měi ge xīngqīliù, wǒ dōu qù dǎ lánqiú.

例如：每 个 星期六，我 都 去 打 篮球。　　　　D

Example: I go to play basketball every Saturday.

Chángchéng hěn piàoliang, wǒ yǐjīng qùguo sān cì le.

16. 长城 很 漂亮，我 已经 去过 三 次 了。

Lái Zhōngguó yǐhòu, wǒ yǐjīng déguo liǎng cì bìng le.

17. 来 中国 以后，我 已经 得过 两 次 病 了。

Suīrán shì qíngtiān, dànshì hěn lěng.

18. 虽然 是 晴天，但是 很 冷。

Bú xià yǔ le, tiān qíng le.

19. 不下雨了，天 晴 了。

Wǒmen yǐjīng xuéguo zhège Hànzì le.

20. 我们 已经 学过 这个 汉字 了。

第二部分　Part Ⅱ

第 21–25 题：选择合适的词语填空

Questions 21-25: Choose the proper words to fill in the brackets.

yǒu yìsi	dànshì	yìsi	guò	guì	tīngshuō
A 有意思	B 但是	C 意思	D 过	E 贵	F 听说

Zhèr de yángròu hěn hǎochī, dànshì yě hěn

例如：这儿的 羊肉 很 好吃，但是 也很 （ E ）。

Example: The mutton here is delicious, but it is also expensive.

Lǎoshī de huà shì shénme　　wǒ méi tīngdǒng.

21. 老师 的话是 什么（　　），我 没 听懂。

Wǒ　　zhè běn shū fēicháng hǎo kàn, dànshì wǒ hái méi kànguo.

22. 我（　　）这本 书 非常 好看，但是 我 还 没 看过。

Nàge diànyǐng tài　　le, wǒ yǐjīng kànguo liǎng cì le.

23. 那个 电影 太（　　）了，我 已经 看过 两 次 了。

Suīrán gōngzuò hěn máng,　　wǒ měi ge xīngqī dōu yào yùndòng.

24. 虽然 工作 很 忙，（　　）我 每 个 星期 都 要 运动。

Wǒ yǐjīng qù　　Běijīng hǎo jǐ cì le, dànshì hái xiǎng zài qù wánrwanr.

25. 我 已经 去（　　）北京 好 几 次 了，但是 还 想 再去 玩儿玩儿。

第三部分　Part Ⅲ

第 26–30 题：判断下列句子的意思是否正确

Questions 26-30: Decide whether the inferences are true or false.

Xiànzài shì diǎn fēn, tāmen yǐjīng yóule fēnzhōng le.
例如：现在 是 11 点 30 分，他们 已经 游了 20 分钟 了。

Example: It's 11:30 now. They have been swimming for 20 minutes.

Tāmen diǎn fēn kāishǐ yóuyǒng.
★ 他们 11 点 10 分 开始 游泳。　　　　　　　　（ √ ）

They started swimming at 11:10.

Wǒ huì tiàowǔ, dàn tiào de bù zěnmeyàng.
我 会 跳舞，但 跳 得 不 怎么样。

I can dance, but not well.

Wǒ tiào de fēicháng hǎo.
★ 我 跳 得 非常 好。　　　　　　　　　　　　（ × ）

I dance pretty well.

Zuótiān hé péngyoumen zài wàimian wánrle yí ge wǎnshang, hěn lèi, dànshì fēicháng gāoxìng.
26. 昨天 和 朋友们 在 外面 玩儿了 一个 晚上，很 累，但是 非常 高兴。

Zuótiān wánr de bù hǎo.
★ 昨天 玩儿 得 不 好。　　　　　　　　　　　（　　）

Tā zuò de cài bǐ wǒ zuò de hǎochī, dànshì yīnwèi gōngzuò máng, tā hěn shǎo zuò.
27. 他 做 的 菜 比 我 做 的 好吃，但是 因为 工作 忙，他 很 少 做。

Tā bú huì zuò cài.
★ 他 不 会 做 菜。　　　　　　　　　　　　（　　）

Wǒ hé péngyoumen qùguo zhè jiā shāngdiàn, hái zài zhèr mǎiguo liǎng cì dōngxi.
28. 我 和 朋友们 去过 这家 商店，还在 这儿 买过 两 次 东西。

Zhège shāngdiàn tā qùguo liǎng cì.
★ 这个 商店 他 去过 两 次。　　　　　　　　（　　）

Cóng xuéxiào dào jīchǎng, zuò chūzūchē yào yí ge xiǎoshí, wǒmen diǎn de fēijī, diǎn
29. 从 学校 到 机场，坐 出租车 要 一个 小时，我们 10 点 的 飞机，8 点

cóng xuéxiào zǒu kěyǐ ma?
从 学校 走 可以 吗？

Tāmen yào zuò diǎn de fēijī.
★ 他们 要 坐 8 点 的 飞机。　　　　　　　（　　）

Xiǎo Lǐ shuō zhège diànyǐng hěn yǒu yìsi, dànshì wǒ méi kànguo.
30. 小 李 说 这个 电影 很 有意思，但是 我 没 看过。

Xiǎo Lǐ kànguo zhège diànyǐng.
★ 小 李 看过 这个 电影。　　　　　　　　（　　）

第四部分　Part Ⅳ

第 31–35 题：选择合适的问答
Questions 31-35: Match the sentences to make dialogues.

Nǐ chūqu de shíhou duō chuān xiē yīfu.
A 你 出去 的 时候 多 穿 些 衣服。

Nǐ zài nàge shāngdiàn mǎiguo dōngxi méiyǒu?
B 你 在 那个 商店 买过 东西 没有？

Māma gàosu guo wǒ hěn duō cì, cháng shíjiān wánr diànnǎo hé shǒujī duì yǎnjing bù hǎo.
C 妈妈 告诉 过 我 很 多次，长 时间 玩儿 电脑 和 手机 对 眼睛 不好。

Méi xuéguo, tīngshuō hěn nán, dànshì hěn yǒu yìsi.
D 没 学过， 听说 很 难，但是 很 有 意思 。

Tā zài nǎr ne? Nǐ kànjiàn tā ·le ma?
E 他 在 哪儿 呢？ 你 看见 他 了 吗？

Méi guānxi, xǐhuan jiù mǎi ba.
F 没 关系，喜欢 就买 吧。

Tā hái zài jiàoshì li xuéxí.
例如：他 还 在 教室 里 学习。　　　　　　　　　 E
Example: He is still studying in the classroom.

Nǐ xuéguo Hànyǔ ma?
31. 你 学过 汉语 吗？　　　　　　　　　　　　□

Jīntiān zhēn lěng, dì yī cì dàole língxià dù.
32. 今天 真 冷，第 一 次 到了 零下 10 度。　□

Suǒyǐ wǒ xiànzài hěn shǎo wánr diànnǎo hé shǒujī le.
33. 所以 我 现在 很 少 玩儿 电脑 和 手机 了。　□

Wǒ hěn xǐhuan zhè jiàn yīfu, dànshì juéde yǒudiǎnr guì.
34. 我 很 喜欢 这件 衣服，但是 觉得 有点儿 贵。　□

Dōngxi hái kěyǐ, érqiě hěn piányi.
35. 东西 还 可以， 而且 很 便宜。　　　　　　　□

三、语音 Pronunciation 14-2

第一部分 Part Ⅰ

第1题：听录音，注意句末的升降调

Question 1: Listen to the recording and pay attention to the intonation at the end of each sentence.

Jīntiān tiānqì zhēn hǎo a!
（1）今天 天气 真 好 啊! ↘

Tā de Hànzì xiě de bǐ wǒ hǎo duō le!
（2）他 的 汉字 写 得 比 我 好 多 了! ↘

Zhème dà de yí ge píngguǒ ya!
（3）这么 大 的 一 个 苹果 呀! ↘

Nǐ de Hànyǔ shuō de duō hǎo a!
（4）你 的 汉语 说 得 多 好 啊! ↘

第二部分 Part Ⅱ

第2题：听录音并跟读下列句子，注意句末的升降调

Question 2: Listen to the recording and repeat the following sentences, paying attention to the intonation at the end of each sentence.

Wǒ juéde Zhōngguó zhēn dà ya!
（1）我 觉得 中国 真 大 呀! ↘

Zuótiān shì xīngqītiān, shāngdiàn de rén hǎo duō ya!
（2）昨天 是 星期天， 商店 的 人 好 多 呀! ↘

Tā de yǎnjing duō piàoliang a!
（3）她 的 眼睛 多 漂亮 啊! ↘

Xīwàng nǐ de shēntǐ kuàidiǎnr hǎo a!
（4）希望 你 的 身体 快点儿 好 啊! ↘

四、汉字　Characters

第一部分　Part Ⅰ

第1–2题：看汉字，按偏旁归类

Questions1-2: Group the characters with the same radical.

A 雪　　　　B 赔　　　　C 雷　　　　D 员

E 货　　　　F 霜　　　　G 零　　　　H 账

1. 雨：_____

2. 贝：_____

第二部分　Part Ⅱ

第3题：看生词和图片，猜出词义

Question 3: Guess the meaning of each word based on the new words and pictures.

商品　　商人　　商店　　顾客

——　　——　　——　　——

A

B

C

D

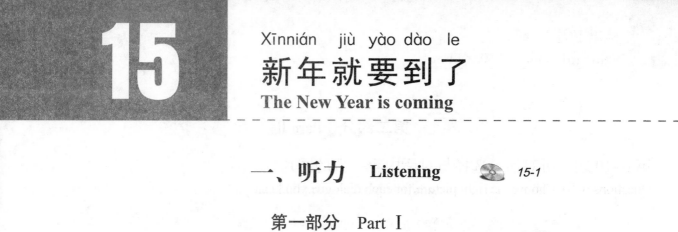

15

Xīnnián jiù yào dào le

新年就要到了

The New Year is coming

一、听力 Listening 🔘 *15-1*

第一部分 Part I

第 1–5 题：听句子，判断对错

Questions 1-5: Decide whether the pictures are right or wrong based on the sentences you hear.

例如： Example:		Wǒmen jiā yǒu sān ge rén. 我们 家 有 三 个 人。 There are three people in my family. ✓
		Wǒ měi tiān zuò gōnggòngqìchē 我 每 天 坐 公共汽车 qù shàng bān. 去 上 班。 ✗ I go to work by bus every day.
1.		
2.		
3.		
4.		
5.		

第二部分　Part Ⅱ

第6–10题：听对话，选择与对话内容一致的图片
Questions 6-10: Choose the right picture for each dialogue you hear.

A　

B　

C　

D　

E　

F　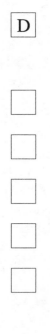

Nǐ xǐhuan shénme yùndòng?

例如：　男：你 喜欢 什么 运动?
Example:　　What sport do you like?

Wǒ zuì xǐhuan tī zúqiú.

女：我 最 喜欢 踢 足球。　　　　　D
My favorite sport is playing football.

6.　　　☐

7.　　　☐

8.　　　☐

9.　　　☐

10.　　☐

第三部分　Part Ⅲ

第 11–15 题：听对话，选择正确答案

Questions 11-15: Listen to the dialogues and answer the questions.

例如：
男：
Xiǎo Wáng, zhèli yǒu jǐ ge bēizi, nǎge shì nǐ de?
小　王，这里有几个杯子，哪个是你的？

Example:　Xiao Wang, here are some cups, which of these cups is yours?

女：
Zuǒbian nàge hóngsè de shì wǒ de.
左边　那个红色的是我的。

The red one on the left is mine.

问：
Xiǎo Wáng de bēizi shì shénme yánsè de?
小　王 的杯子是 什么 颜色 的？

Question: What color is Xiao Wang's cup?

	hóngsè		hēisè		báisè
A	红色 red ✓	B	黑色 black	C	白色 white

	qùguo		méiyǒu		qùguo hěn duō cì
11. A	去过	B	没有	C	去过 很 多 次

	fēijīpiào		qìchēpiào		huǒchēpiào
12. A	飞机票	B	汽车票	C	火车票

	láile		hái méi lái		bù zhīdào
13. A	来了	B	还 没 来	C	不 知道

	bú tài hǎo		xià yǔ le		xià xuě le
14. A	不 太 好	B	下 雨 了	C	下 雪 了

	fànguǎn		xuéxiào		jiāli
15. A	饭馆	B	学校	C	家里

二、阅读　Reading

第一部分　Part I

第 16–20 题：看图片，选择与句子内容一致的图片
Questions 16-20: Choose the right picture for each sentence.

A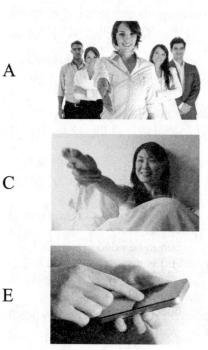

B

C

D

E

F

Měi ge xīngqīliù, wǒ dōu qù dǎ lánqiú.
例如：每 个 星期六，我 都 去 打 篮球。　　　　　　D
Example: I go to play basketball every Saturday.

Xiǎo Wáng zěnme hái méi lái? Dōu kuài shí diǎn le.
16. 小　王　怎么 还 没 来? 都 快 十 点 了。

Mèimei hái méi shuì jiào, zhèngzài kàn diànshì ne.
17. 妹妹　还 没 睡 觉，正在　看　电视 呢。

Nǐ dōu wánr le yí ge duō xiǎoshí de shǒujī le, kuàidiǎnr gōngzuò ba.
18. 你 都 玩儿 了 一个 多 小时 的 手机 了，快点儿　工作　吧。

Fēicháng huānyíng nǐ lái wǒmen gōngsī gōngzuò.
19. 非常　欢迎　你 来 我们 公司　工作。

Wǒ juéde nǐ jiějie bǐ nǐ mèimei gèng piàoliang.
20. 我 觉得 你 姐姐 比 你 妹妹　更　漂亮。

第二部分　Part Ⅱ

第 21-25 题：选择合适的词语填空

Questions 21-25: Choose the proper words to fill in the brackets.

　　　　xīnnián　　　gèng　　　dàjiā　　　bāngzhù　　　guì　　　yīn
　A 新年　　B 更　　C 大家　　D 帮助　　E 贵　　F 阴

　　　　Zhèr　de yángròu hěn hǎochī, dànshì yě hěn
例如：这儿的 羊肉 很 好吃，但是 也 很 （ E ）。

Example: The mutton here is delicious, but it is also expensive.

　　　Tiān　　　　　　le, kěnéng yào xià yǔ le, wǒmen kuàidiǎnr huí jiā ba.
21. 天（ 　 ）了，可能 要 下雨 了，我们 快点儿 回家 吧。

　　　Wǒ xǐhuan chī píngguǒ, dànshì wǒ　　　　　xǐhuan chī xīguā.
22. 我 喜欢 吃 苹果， 但是 我 （ 　 ）喜欢 吃 西瓜。

　　　Tīngshuō Běijīng hěn piàoliang,　　　dōu xiǎng qù Běijīng lǚxíng.
23. 听说 北京 很 漂亮，（ 　 ）都 想 去 北京 旅行。

　　　Xièxie dàjiā zhè yì nián duì wǒ de
24. 谢谢 大家 这一 年 对 我 的（ 　 ）。

　　　Jīntiān shì　yuè　hào le,　　　kuài yào dào le.
25. 今天 是 12 月 28 号 了，（ 　 ）快 要 到 了。

第三部分　Part Ⅲ

第 26-30 题：判断下列句子的意思是否正确

Questions 26-30: Decide whether the inferences are true or false.

　　　Xiànzài shì　diǎn　fēn, tāmen yǐjīng yóule　　fēnzhōng le.
例如：现在 是 11 点 30 分，他们 已经 游了 20 分钟 了。

Example: It's 11:30 now. They have been swimming for 20 minutes.

　　　Tāmen　　diǎn　fēn kāishǐ yóuyǒng.
★ 他们 11 点 10 分 开始 游泳。　　　　　　（ √ ）

They started swimming at 11:10.

Wǒ huì tiàowǔ, dàn tiào de bù zěnmeyàng.

我 会 跳舞， 但 跳 得 不 怎么样。

I can dance, but not well.

Wǒ tiào de fēicháng hǎo.

★ 我 跳 得 非常 好。 　　　　　　　　　　（ × ）

I dance pretty well.

Wǒ kànguo nàge diànyǐng, hái bú cuò, dànshì wǒ gèng xǐhuan jīntiān zhège diànyǐng, tài yǒu yìsi le.

26. 我 看过 那个 电影， 还 不错，但是 我 更 喜欢 今天 这个 电影， 太 有 意思 了。

Jīntiān de diànyǐng gèng hǎo.

★ 今天 的 电影 更 好。 　　　　　　　　　　（ 　 ）

Wǒ dìdi zài yì jiā diànnǎo gōngsī zhǎole ge gōngzuò. Jīntiān shì tā dì yī tiān shàng bān, tā zǎoshang

27. 我 弟弟 在 一 家 电脑 公司 找了 个 工作。今天 是 他 第 一 天 上 班, 他 早上

liù diǎn jiù qǐ chuáng le.

六点 就 起 床 了。

Dìdi jīntiān kāishǐ shàng bān.

★ 弟弟 今天 开始 上 班。 　　　　　　　　　　（ 　 ）

Wǒ měi tiān zǎoshang dōu chūqu pǎo bù. Zuótiān tiānqì bú tài hǎo, shì yīntiān. Děng wǒ pǎo huí jiā shí,

28. 我 每 天 早上 都 出去 跑步。昨天 天气 不太 好，是 阴天。等 我 跑 回家 时,

tiān qíng le.

天 晴 了。

Zuótiān xià yǔ le.

★ 昨天 下 雨 了。 　　　　　　　　　　（ 　 ）

Huǒchēzhàn qiánmian yǒu ge "Yì Yuán Diàn", zài nàr yí kuài qián jiù kěyǐ mǎi yí jiàn dōngxi. Wǒ dōu

29. 火车站 前面 有 个 "一 元 店"，在 那儿 一 块 钱 就 可以 买 一 件 东西。我 都

qùguo hěn duō cì le.

去过 很 多 次 了。

"Yì Yuán Diàn" de dōngxi hěn guì.

★ "一 元 店" 的 东西 很 贵。 　　　　　　　　　　（ 　 ）

Wǒ lái Běijīng yǐjīng sān ge duō yuè le, xià ge yuè wǒ jiù yào huí guó le.

30. 我 来 北京 已经 三 个 多 月 了，下 个 月 我 就 要 回 国 了。

Tā kěnéng zài Běijīng zhù sì ge yuè.

★ 他 可能 在 北京 住 四个 月。 　　　　　　　　　　（ 　 ）

第四部分　Part IV

第 31–35 题：选择合适的问答

Questions 31-35: Match the sentences to make dialogues.

Wǒ xiǎng xīnnián de shíhou xiūxi xiūxi. Nǐmen zìjǐ qù wánr ba.
A 我 想 新年 的 时候 休息 休息。你们 自己 去 玩儿 吧。

Zhè jiàn yīfu de yánsè wǒ bù xǐhuan.
B 这 件 衣服 的 颜色 我 不 喜欢。

Nǐ de shēngrì shì jǐ yuè jǐ hào? Wǒmen yìqǐ chī fàn ba.
C 你 的 生日 是 几月 几号？ 我们 一起 吃饭 吧。

Zhè shì wǒ dì èr cì lái Běijīng.
D 这 是 我 第 二 次 来 北京。

Tā zài nǎr ne? Nǐ kànjiàn tā le ma?
E 他 在 哪儿 呢？你 看见 他 了 吗？

Shí fēnzhōng yǐhòu jiù yào kāishǐ le.
F 十 分钟 以后 就要 开始 了。

Tā hái zài jiàoshì li xuéxí.
例如：他 还 在 教室 里 学习。　　　　　　　　　　　　　　　 E
Example: He is still studying in the classroom.

Xīwàng zhè cì nǐ néng zài zhèr duō zhù jǐ tiān.
31. 希望 这次 你 能 在 这儿 多 住 几天。　　　　　　　□

Diànyǐng shénme shíhou kāishǐ?
32. 电影 什么 时候 开始？　　　　　　　　　　　　　□

Wǒ de shēngrì kuài yào dào le.
33. 我 的 生日 快 要 到 了。　　　　　　　　　　　　□

Xīnnián kuài yào dào le, nǐ xiǎng hé dàjiā yìqǐ qù lǚyóu ma?
34. 新年 快 要 到 了，你 想 和 大家 一起 去 旅游 吗？　　□

Méi guānxi, wǒmen zài qù biéde shāngdiàn kànkan ba.
35. 没 关系，我们 再 去 别的 商店 看看 吧。　　　　　　□

三、语音 Pronunciation 15-2

第一部分　Part Ⅰ

第1题：听录音，注意句末的升降调

Question 1: Listen to the recording and pay attention to the intonation at the end of each sentence.

Zhè běn xīn shū shì nǐ de ba?
（1）这 本 新 书 是 你 的 吧？

Nǐmen míngtiān yǒu Hànyǔ kè ma?
（2）你们 明天 有 汉语课 吗？

Wáng lǎoshī jīntiān bù lái xuéxiào le ba?
（3）王 老师 今天 不来 学校 了 吧？

Nǐmen shì zuò yì diǎn de fēijī ma?
（4）你们 是 坐 一 点 的 飞机 吗？

第二部分　Part Ⅱ

第2题：听录音并跟读下列句子，注意句末的升降调

Question 2: Listen to the recording and repeat the following sentences, paying attention to the intonation at the end of each sentence.

Wǎnshang shídiǎn, shāngdiàn hái kāi mén ma?
（1）晚上 十点， 商店 还 开 门 吗？

Tài wǎn le, shāngdiàn yǐjīng guān mén le ba?
（2）太 晚 了， 商店 已经 关 门 了 吧？

Zhè jiàn yīfu zhème guì, nǐ hái xiǎng mǎi ma?
（3）这 件 衣服 这么 贵， 你 还 想 买 吗？

Tiàowǔ de nàge nǚháir shì nǐ mèimei ba?
（4）跳舞 的 那个 女孩儿 是 你 妹妹 吧？

四、汉字 Characters

第一部分 Part I

第1–2题：看汉字，按偏旁归类

Questions1-2: Group the characters with the same radical.

A 岔   B 头   C 岭   D 夸

E 出   F 崔   G 太   H 犬

1. 山：_____

2. 大：_____

第二部分 Part II

第3题：看生词和图片，猜出词义

Question 3: Guess the meaning of each word based on the new words and pictures.

火车票   门票   飞机票   电影票

——   ——   ——   ——

A

B

C

D

HSK（二级）模拟试卷
HSK Model Test (Level 2)

注　　意

一、HSK（二级）分两部分：

    1. 听力（35题，约25分钟）

    2. 阅读（25题，20分钟）

二、**答案先写在试卷上，最后5分钟再写在答题卡上。**

三、全部考试约55分钟（含考生填写个人信息时间5分钟）。

一、听 力

第一部分

第 1–10 题

例如： Example:		Wǒmen jiā yǒu sān ge rén. 我们 家 有 三 个 人。 √
		Wǒ měi tiān zuò gōnggòngqìchē 我 每 天 坐 公共汽车 qù shàng bān. 去 上 班。 ✗
1.		
2.		
3.		
4.		
5.		

6.		
7.		
8.		
9.		
10.		

第 二 部 分

第 11–15 题

A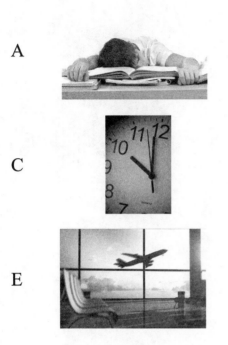

B

C

D

E

F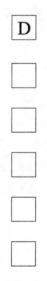

Nǐ xǐhuan shénme yùndòng?
例如：男：你 喜欢 什么 运动？
Wǒ zuì xǐhuan tī zúqiú.
女：我 最 喜欢 踢 足球。 　　　　D

11. □

12. □

13. □

14. □

15. □

第 16-20 题

A

B

C

D

E

16. ☐

17. ☐

18. ☐

19. ☐

20. ☐

第三部分

第 21-30 题

例如：
男： Xiǎo Wáng, zhèli yǒu jǐ ge bēizi, nǎge shì nǐ de?
　　小 王，这里 有 几 个 杯子，哪个 是 你 的?

女： Zuǒbian nàge hóngsè de shì wǒ de.
　　左边 那个 红色 的 是 我 的。

问： Xiǎo Wáng de bēizi shì shénme yánsè de?
　　小 王 的 杯子 是 什么 颜色 的?

hóngsè	hēisè	báisè
A 红色 red ✓	B 黑色 black	C 白色 white

21.
zuò chūzūchē	zǒu lù	zuò gōnggòngqìchē
A 坐 出租车	B 走 路	C 坐 公共汽车

22.
xīngqīsì	jīntiān	xīngqīwǔ
A 星期四	B 今天	C 星期五

23.
jīntiān bù chū mén	jīntiān chū mén	míngtiān tiānqì hǎo
A 今天 不 出 门	B 今天 出 门	C 明天 天气 好

24.
tā mǎi de	tā zhàngfu mǎi de	tā péngyou mǎi de
A 她 买 的	B 她 丈夫 买 的	C 她 朋友 买 的

25.
gěi tā shǒujī	sòng tā shǒujī	bāng tā zhǎo shǒujī
A 给 他 手机	B 送 他 手机	C 帮 他 找 手机

26.
zhège yǒudiǎnr xiǎo	zhège bú guì	nàge hěn piányi
A 这个 有点儿 小	B 这个 不 贵	C 那个 很 便宜

27.
xiànzài	shí fēnzhōng yǐhòu	èrshí fēnzhōng yǐhòu
A 现在	B 十 分钟 以后	C 二十 分钟 以后

28.
Lǐ lǎoshī bú zài	Lǐ lǎoshī hěn máng	tā dǎcuò diànhuà le
A 李 老师 不 在	B 李 老师 很 忙	C 她 打错 电话 了

29.
míngtiān	xià ge yuè	xīngqīyī
A 明天	B 下 个 月	C 星期一

30.
tiàoguo yí cì	tiàoguo jǐ cì	méi tiàoguo
A 跳过 一 次	B 跳过 几 次	C 没 跳过

第四部分

第 31-35 题

例如：

    Qǐng zài zhèr xiě nín de míngzi.
女：请 在 这儿 写 您 的 名字。

    Shì zhèr ma?
男：是 这儿 吗？

    Bú shì, shì zhèr.
女：不 是，是 这儿。

    Hǎo, xièxie.
男：好，谢谢。

    Nán de yào xiě shénme?
问：男 的 要 写 什么？

míngzi	shíjiān	fángjiān hào
A 名字 √	B 时间	C 房间 号

31.
qù wàimian wánr	zài jiā xiūxi	qù xuéxiào
A 去 外面 玩儿	B 在 家 休息	C 去 学校

32.
méi xiěwán	méi tīngdǒng	kǎo de búcuò
A 没 写完	B 没 听懂	C 考 得 不错

33.
yí ge cài	niúròu	fúwùyuán jièshào de cài
A 一个菜	C 牛肉	B 服务员 介绍 的 菜

34.
sòng yīfu	guò shēngrì	qù shāngdiàn
A 送 衣服	B 过 生日	C 去 商店

35.
yí ge	liǎng ge	sān ge
A 一个	B 两 个	C 三 个

二、阅 读

第一部分

第 36-40 题

A

B

C

D

E

F

Měi ge xīngqīliù, wǒ dōu qù dǎ lánqiú.

例如：每 个星期六，我 都 去 打 篮球。 | D |

Bié lí diànshìjī tài jìn, duì yǎnjing bù hǎo.

36. 别 离 电视机 太 近，对 眼睛 不 好。 | |

Wáng lǎoshī shēng bìng le, xiànzài zhèngzài jiāli xiūxi ne.

37. 王 老师 生 病 了，现在 正在 家里 休息 呢。 | |

Nà jiàn báisè de yīfu wǒ yǐjīng bāng nǐ xǐ le.

38. 那 件 白色 的 衣服 我 已经 帮 你 洗 了。 | |

Niúnǎi duì shēntǐ hěn hǎo, suǒyǐ nǐ měi tiān yào duō hē yìdiǎnr.

39. 牛奶 对 身体 很 好，所以 你 每 天 要 多 喝 一点儿。 | |

Yīnwèi xià xuě, suǒyǐ lùshang de chē dōu kāi de hěn màn.

40. 因为 下雪，所以 路上 的 车 都 开得很 慢。 | |

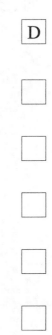

第二部分

第 41-45 题

A 事情 shìqing　　B 最 zuì　　C 帮助 bāngzhù　　D 开始 kāishǐ　　E 贵 guì　　F 懂 dǒng

例如：这儿的 羊肉 很 好吃，但是 也 很 （ E ）。
Zhèr de yángròu hěn hǎochī, dànshì yě hěn

41. 快 要 回 国 了，我 要 谢谢 那些（　　）过 我 的 老师 和 朋友们。
Kuài yào huí guó le, wǒ yào xièxie nàxiē guo wǒ de lǎoshī hé péngyoumen.

42. 他 是 我们 班 学习（　　）好 的 学生。
Tā shì wǒmen bān xuéxí hǎo de xuésheng.

43. 今天 的 汉语 课 太 难 了，我 都 没 听（　　）。
Jīntiān de Hànyǔ kè tài nán le, wǒ dōu méi tīng

44. 我 下 个 星期 要 去 上海，你 有 什么（　　）就 找 李 老师 吧。
Wǒ xià ge xīngqī yào qù Shànghǎi, nǐ yǒu shénme jiù zhǎo Lǐ lǎoshī ba.

45. 都 十 点 多 了，电影 什么 时候（　　）?
Dōu shí diǎn duō le, diànyǐng shénme shíhou

第三部分

第 46-50 题

Xiànzài shì   diǎn   fēn, tāmen yǐjīng yóule   fēnzhōng le.
例如：现在 是 11 点 30 分，他们 已经 游了 20 分钟 了。

　　　　Tāmen   diǎn   fēn kāishǐ yóuyǒng.
★ 他们 11 点 10 分开始 游泳。　　　　　　（ √ ）

Wǒ huì tiàowǔ, dàn tiào de bù zěnmeyàng.
我 会 跳舞，但 跳 得 不 怎么样。

　　　　Wǒ tiào de fēicháng hǎo.
★ 我 跳 得 非常 好。　　　　　　　　　　（ × ）

Hěn cháng shíjiān dōu méiyǒu hé gēge yìqǐ pǎo bù le, wǒ xiǎng míngtiān zǎodiǎnr qǐ chuáng,
46. 很 长 时间 都 没有 和 哥哥一起 跑步了，我 想 明天 早点儿 起 床，

hé tā yìqǐ qù yùndòng yùndòng.
和 他 一起 去 运动 运动。

　　　　Gēge hěn cháng shíjiān méiyǒu pǎo bù le.
★ 哥哥 很 长 时间 没有 跑步 了。　　　　（ 　 ）

Chuān hóng dàyī de nàge nǚrén shì wǒmen de Hànyǔ lǎoshī, tā xìng Wáng. Xuéxí shí yǒu
47. 穿 红 大衣的那个 女人是 我们 的汉语 老师，她 姓 王。学习 时 有

shénme wèntí, dàjiā dōu ài qù wèn tā.
什么 问题，大家 都爱 去 问 她。

　　　　Wáng lǎoshī shì Hànyǔ lǎoshī.
★ 王 老师 是 汉语 老师。　　　　　　　　（ 　 ）

Kuài guò xīnnián le, suǒyǐ fēijīpiào bǐ shàng ge yuè guì le. Shàng ge yuè yì zhāng jīpiào liǎng
48. 快 过 新年了，所以 飞机票比 上 个月 贵了。上 个月一 张 机票 两

qiān sān bǎi kuài, zhège yuè jiù sān qiān kuài le.
千 三 百 块，这个 月 就 三 千 块了。

　　　　Shàng ge yuè de jīpiào bǐjiào piányi.
★ 上 个月 的 机票 比较 便宜。　　　　　（ 　 ）

Míngtiān shì wǒ de shēngrì, wǒ xīwàng dàjiā dōu néng lái wǒ jiā wánr. Wǒ gěi dàjiā zhǔnbèi le
49. 明天 是 我的 生日，我 希望 大家都 能 来我家玩儿。我 给 大家 准备 了

píngguǒ、 xīguā, háiyǒu kāfēi hé niúnǎi.
苹果、 西瓜，还有 咖啡和 牛奶。

　　　　Dàjiā dōu xiǎng qù tā de jiā wánr.
★ 大家都 想 去 他的 家玩儿。　　　　　（ 　 ）

Wǒ yǒu liǎng ge dìdi, yí ge ài pǎo bù, yí ge ài tī zúqiú. Wǒ yě hěn xǐhuan yùndòng.

50. 我 有 两 个 弟弟，一个 爱 跑步， 一个 爱 踢 足球。我 也 很 喜欢 运动。

Dànshì wǒ xuéxí hěn máng, méiyǒu shíjiān qù yùndòng.

但是 我 学习 很 忙， 没有 时间 去 运动。

Wǒ yīnwèi xuéxí hěn máng, suǒyǐ bù xǐhuan yùndòng.

★ 我 因为 学习 很 忙， 所以 不 喜欢 运动。 （ ）

第四部分

第 51–55 题

A
Wǒ péngyou cóng Shànghǎi lái Běijīng wánr, xiǎng zhǎo yí ge piányi yìdiǎnr de bīnguǎn.
我 朋友 从 上海 来北京 玩儿，想 找 一个 便宜一点儿的 宾馆。

B
Tā shì Wáng Fāng de dìdi, jīnnián gāng qī suì.
他是 王 方 的 弟弟，今年 刚 七岁。

C
Huānyíng huānyíng, kuài qǐng jìn.
欢迎 欢迎， 快 请 进。

D
Wáng lǎoshī wèi shéme zhème xǐhuan nǐ?
王 老师 为 什么 这么 喜欢 你？

E
Tā zài nǎr ne? Nǐ kànjiàn tā le ma?
他 在 哪儿 呢？你 看见 他 了 吗？

F
Nǐ de shēntǐ zěnmeyàng le?
你 的 身体 怎么样 了？

Tā hái zài jiàoshì li xuéxí.
例如：他 还 在 教室 里 学习。　　　　　　　　E

51.
Cóng zhèr wǎng qián zǒu, dào dì yī ge lùkǒu zài xiàng yòu zǒu, jiù yǒu yí ge.
从 这儿 往 前 走，到第一个路口再 向 右 走，就有一个。　□

52.
Yīshēng shuō kěyǐ bù chī yào le, dànshì hái yào duō xiūxi.
医生 说 可以 不 吃 药 了，但是 还 要 多 休息。　□

53.
À! Nǐ jiā de xīn fángzi zhēn piàoliang!
啊！你 家 的 新 房子 真 漂亮！　□

54.
Yīnwèi wǒ shàng kè de shíhou cháng huídá lǎoshī de wèntí.
因为 我 上 课 的 时候 常 回答 老师 的 问题。　□

55.
Nàbian xiàozhe shuōhuà de nánháir shì shéi?
那边 笑着 说话 的 男孩儿 是 谁？　□

第 56-60 题

Míngtiān shì nǐ de shēngrì, zhù nǐ shēngrì kuàilè.

A 明天 是你的 生日，祝你 生日 快乐。

Ménkǒu mài shuǐguǒ de nàge nánrén jīntiān zěnme méi lái?

B 门口 卖 水果 的 那个 男人 今天 怎么 没来？

Wǒ bù xiǎng chī zǎofàn le.

C 我 不 想 吃 早饭 了。

Zhège xiǎo gǒu shì wǒ guò shēngrì de shíhou, bàba sòng gěi wǒ de.

D 这个 小 狗 是 我 过 生日 的时候，爸爸 送 给 我 的。

《Hòutiān》nàge diànyǐng nǐ kànguo ma? Tīngshuō hěn yǒu yìsi.

E 《后天》 那个 电影 你 看过 吗？ 听说 很 有意思。

Rénmen dōu shuō "zǎofàn yào chī hǎo". Wǒ gěi nǐ zhǔnbèi le jīdàn hé niúnǎi.

56. 人们 都 说 "早饭 要 吃好"。我 给你 准备 了 鸡蛋 和 牛奶。 □

Tā de yǎnjing dàdà de, zhēn piàoliang.

57. 它 的 眼睛 大大 的，真 漂亮。 □

Wǒ dōu kànguo liǎng cì le, zhēn búcuò.

58. 我 都 看过 两 次 了，真 不错。 □

Lí wǒ de shēngrì hái yǒu yí ge duō yuè ne.

59. 离我 的 生日 还 有 一个 多 月 呢。 □

Tiānqì bù hǎo de shíhou, tā jiù bù lái le.

60. 天气 不好 的时候，他 就 不来 了。 □

HSK（二级）介绍

HSK（二级）考查考生的日常汉语应用能力，它对应于《国际汉语能力标准》二级、《欧洲语言共同参考框架（CEF）》A2级。通过HSK（二级）的考生可以用汉语就熟悉的日常话题进行简单而直接的交流，达到初级汉语优等水平。

一、考试对象

HSK（二级）主要面向按每周2-3课时进度学习汉语两个学期（一学年），掌握300个最常用词语和相关语法知识的考生。

二、考试内容

HSK（二级）共60题，分听力、阅读两部分。

考试内容		试题数量（个）		考试时间（分钟）
一、听力	第一部分	10	35	约25
	第二部分	10		
	第三部分	10		
	第四部分	5		
二、阅读	第一部分	5	25	20
	第二部分	5		
	第三部分	5		
	第四部分	10		
填写答题卡				5
共计	/	60		约50

全部考试约55分钟（含考生填写个人信息时间5分钟）。

1. 听力

第一部分，共10题。每题听两次。每题都是一个句子，试卷上提供一张图片，考生根据听到的内容判断对错。

第二部分，共10题。每题听两次。每题都是一个对话，试卷上提供几张图片，考生根据听到的内容选出对应的图片。

第三部分，共10题。每题听两次。每题都是两个人的两句对话，第三个人根据对话问一个问题，试卷上提供3个选项，考生根据听到的内容选出答案。

第四部分，共5题。每题听两次。每题都是两个人的4至5句对话，第三个人根据对话问一个问题，试卷上提供3个选项，考生根据听到的内容选出答案。

2. 阅读

第一部分，共5题。试卷上有几张图片，每题提供一个句子，考生根据句子内容，选出对应的图片。

第二部分，共5题。每题提供一到两个句子，句子中有一个空格，考生要从提供的选项中选词填空。

第三部分，共5题。每题提供两个句子，考生要判断第二句内容与第一句是否一致。

第四部分，共10题。提供20个句子，考生要找出对应关系。

试卷上的试题都加拼音。

三、成绩报告

HSK（二级）成绩报告提供听力、阅读和总分三个分数。总分120分为合格。

	满分	你的分数
听力	100	
阅读	100	
总分	200	

HSK成绩长期有效。作为外国留学生进入中国院校学习的汉语能力的证明，HSK成绩有效期为两年（从考试当日算起）。

Introduction to the HSK Level 2 Test

HSK Level 2 tests students' ability to use Chinese in daily life, corresponding to Level 2 of *Chinese Language Proficiency Scales for Speakers of Other Languages* and Level A2 of *Common European Framework of Reference for Languages (CEF)*. Candidates who have passed the HSK Level 2 test are capable of easy and direct communication regarding everyday topics, their Chinese proficiency reaching the upper elementary level.

Ⅰ. Targets

The HSK Level 2 test is targeted at students who have learned Chinese 2-3 class hours a week for two semesters (one academic year) and have mastered 300 most frequently used Chinese words and relevant grammar.

Ⅱ. Contents

The HSK Level 2 test includes 60 questions in total, divided into two parts—Listening and Reading.

Contents		Number of Questions		Duration (Min.)
Ⅰ. Listening	Part 1	10	35	Around 25
	Part 2	10		
	Part 3	10		
	Part 4	5		
Ⅱ. Reading	Part 1	5	25	20
	Part 2	5		
	Part 3	5		
	Part 4	10		
Marking on the answer sheet				5
Total	/	60		Around 50

The whole test takes about 55 minutes (including 5 minutes for students to write down personal information).

1. Listening

Part 1 includes 10 questions. In this part, candidates will hear 10 sentences. Each phrase is read twice for candidates to decide whether the picture provided is right or wrong.

Part 2 includes 10 questions. In this part, candidates will hear 10 dialogues. Each dialogue is read twice for candidates to choose the right picture from the choices provided.

Part 3 includes 10 questions. In this part, candidates will hear 10 dialogues, each with two sentences. Each dialogue is read twice for candidates to choose from three choices the right answer to the question asked by a third person.

Part 4 includes 5 questions. In this part, candidates will hear 5 dialogues, each with 4-5 sentences. Each dialogue is read twice for candidates to choose from three choices the right answer to the question asked by a third person.

2. Reading

Part 1 includes 5 questions. For each question, several pictures and a sentence are provided. Candidates have to choose the right picture according to the sentence.

Part 2 includes 5 questions. For each question, 1-2 sentences with a blank are provided. Candidates have to choose from the words given to fill in each blank.

Part 3 includes 5 questions. For each question, 2 sentences are provided for candidates to decide whether the second sentence matches the first.

Part 4 includes 10 questions. For each question, 20 sentences are provided for candidates to match them up.

All the test questions are provided with *pinyin*.

Ⅲ. Performance Report

The performance report of HSK Level 2 consists of the score for Listening, the score for Reading, and the total score. A candidate whose total score is 120 or above passes the test.

	Full Score	Your Score
Listening	100	
Reading	100	
Total	200	

One's HSK score is valid all the time. As a certificate of the Chinese proficiency of an international student who wants to study in a Chinese university, the HSK score is valid for two years (starting from the day of testing).